Awaken
LOVE

SRI PREM BABA

AMAR *e ser* LIVRE

AS BASES PARA UMA NOVA SOCIEDADE

editora dummar

AGIR

Esta edição é publicada pela Editora Demócrito Dummar Ltda em parceria com a Editora Agir S.A.

Para informação o endereço: Av. Aguanambi, 282/B - Joaquim Távora - CEP 60.055-402 - Fortaleza-Ceará
Tels.: (85) 3255.6276 | 3255.6270

Editora Demócrito Dummar Ltda.

Presidente | Luciana Dummar
Editora Executiva | Regina Ribeiro
Editor de Design | Amaurício Cortez
Editora Adjunta de Design | Karla Saraiva
Projeto Gráfico e Editoração Eletrônica | Dhara Sena
Catalogação na Fonte | Kelly Pereira
Revisão Ortográfica | Tatiana Pavarino
Revisão Técnica | Rodrigo Vergara
Design da Capa | Amaurício Cortez

Editora Agir S.A.

Publisher | Kaíke Nanne
Editora Executiva | Carolina Chagas
Coordenadora de produção | Thalita Ramalho

Dados Internacionais de Catalogação na Publicação (CIP)

Baba, Sri Prem
B112a Amar e ser livre: As bases para uma nova sociedade. / Prem Baba. – Fortaleza: Editora Demócrito Dummar / Agir, 2015.
132p.; il. color.

ISBN 978.85.220.3169-6

1. Relacionamento - Amor 2. Autoconhecimento
I. Título

Editora Demócrito Dummar Ltda.
Av. Aguanambi, 282/B - Joaquim Távora - CEP 60.055- 402
Fortaleza-Ceará - Tel.: (85) 3255.6256 | 3255.6270

Agir é um selo da Editora Nova Fronteira Participações S.A., uma empresa do Grupo Ediouro Publicações

Editora Nova Fronteira Participações S.A.
Rua Nova Jerusalém, 345 — CEP 21042-235
Bonsucesso — Rio de Janeiro — RJ
Tel.: (21) 3882-8200 fax: (21) 3882-8212/8313

Dedico este livro a todos os amantes. Todos aqueles que, através de erros e acertos, encontros e desencontros, se movem em direção ao amor.

SRI PREM BABA

"Quem é você? Eu sou o amor puro dos amantes, que nenhum mortal pode proibir."

SUMÁRIO

CAPÍTULO 3

CAPÍTULO 4

PREFÁCIO

Por que é tão complicado se relacionar? Por que desenvolvemos tantas distorções a partir de sentimentos básicos, como amor e sexo?

Prem Baba nesse seu novo livro mostra que a importância de um relacionamento feliz ultrapassa as fronteiras das pessoas envolvidas, vai além da realização pessoal e se torna uma questão de suprema importância para um mundo melhor.

Faz relativamente pouco tempo que conheci Prem Baba, mas estamos unidos pela mesma energia, cada um com sua estrada, com sua busca pelo conhecimento e por pensamentos que atravessam eras.

A luz de bondade que dele irradia traz um desejo permanente de ajudar as pessoas a se melhorarem, a se conscientizarem, a viverem com mais alegria.

A maneira como vamos experenciar a vida durante essa nossa passagem pela Terra está intrinsicamente ligada à descoberta da nossa verdadeira essência. E precisamos de muita clareza para conseguir ir vencendo os obstáculos, ciladas, tentações e armadilhas com que nos defrontamos no caminho.

Prem Baba diz que o relacionamento com outro ser humano, principalmente o afetivo-sexual, é o mais poderoso catalisador ou ativador da verdade. Eu acredito nisso.

Amar, diz ele, requer uma grande coragem. E afirma que se pudéssemos ter relacionamentos amorosos, saudáveis e construtivos, certamente, não haveria tanta maldade no mundo. Tantas guerras, corrupção e miséria. Tanto medo e ódio e tanto sofrimento na humanidade.

Amor e Liberdade. Em geral essas duas forças primordiais da vida não caminham juntas, sendo uma quase que a exclusão da outra. E no entanto, a verdadeira sabedoria é jamais separar uma da outra.

Sexo, Eros e Amor são aspectos fundamentais da nossa energia vital. A partir do comportamento dos nossos pais, que resulta no nosso próprio comportamento, tudo o que absorvemos vai interferir na nossa energia, e vai ser determinante para o nosso destino.

Quando Prem Baba diz que se você domina o sexo, você domina a vida, ele fala de um estágio de transcendência.

A energia sexual é a pedra filosofal dos antigos alquimistas. É nesse núcleo da vida que está a chave da libertação, ele nos ensina, buscando iluminar as sombras, as trevas e as passagens escuras da nossa alma.

Tudo se resume ao amor. Nós estamos aqui em busca do amor. Esse é o elemento alquímico que nos liberta.

Parivartan: essa palavra sânscrita significa transformação e o mais profundo impulso dessa ação é o amor. Através da relação amorosa podemos construir uma nova realidade. Nós nascemos em determinada família para purificar nosso *karma*, e essa purificação é o que possibilita que nos alinhemos com o nosso *dharma*, o propósito de nossa alma.

Despertar o amor é a grande transformação que esse livro propõe. De uma maneira clara e simples, mostra que para compreender o amor é preciso, acima de tudo, compreender o que somos e o que estamos carregando.

Cada busca individual é importante porque essa é a nossa contribuição para o Todo. Aprendendo o amor, criaremos nossos filhos como pessoas melhores. E essa é a grande transformação exponencial. Para ajudar a iluminar o mundo, precisamos tentar primeiro iluminar a nós mesmos.

Quem sabe aqui comece a sua jornada.

Bruna Lombardi

INTRODUÇÃO

A VIDA É RELACIONAMENTO

A vida é relacionamento. Estamos constantemente nos relacionando com alguma coisa, sejam pessoas, pensamentos, sentimentos, situações. Nos relacionamos com os animais, com os reinos vegetal e mineral, com os objetos produzidos pelo homem. Ou seja, é impossível estar neste planeta sem se relacionar.

Dentro da infinita esfera dos elementos com os quais nos relacionamos a todo instante, o relacionamento com outro ser humano, principalmente o afetivo-sexual, é, sem dúvida, o mais poderoso catalisador ou ativador da verdade. Costumo dizer que, se a vida é uma escola, os relacionamentos são a sua universidade, pois é através do relacionamento que temos a chance de amadurecer e de ativar os valores humanos que possibilitam a nossa evolução. O outro, independentemente de quem seja, está sempre funcionando como um espelho que reflete partes de nós mesmos que não estamos podendo ou querendo enxergar. Às vezes, o outro reflete aspectos positivos e luminosos da nossa personalidade, e às vezes reflete aspectos negativos e sombrios.

Normalmente, procuramos evitar entrar em contato com aspectos da nossa natureza inferior que ainda não pudemos aceitar e que, portanto, tentamos manter fora do campo de visão, não permitindo que elas venham à tona na consciência. Então, o outro reflete essas partes que estamos, de alguma maneira, negando ou escondendo de nós mesmos. Para que essas partes negadas possam ser integradas, elas precisam ser identificadas, por isso as relações, de uma forma geral, representam um aspecto fundamental para a evolução da consciência humana.

MEDO E ÓDIO: OS PILARES DO SOFRIMENTO

Estamos vivendo tempos de intensas mudanças. Estamos no auge de uma profunda transformação planetária, um período que costumo chamar de *parivartan*. Essa palavra sânscrita literalmente significa transformação, mas escolhi utilizá-la neste livro no lugar de simplesmente "transformação", com o objetivo de ajudá-lo a conectar com o significado mais profundo desse momento, que é a transformação do medo em confiança, do sofrimento em alegria, do egoísmo em altruísmo. Em outras palavras, podemos dizer que *parivartan* representa a transição do paradigma materialista para o espiritual, compreendendo que este nada tem a ver com atitudes e conceitos dogmáticos, verdades emprestadas ou qualquer tipo de separação e exclusão.

Essa, talvez, seja a mais profunda transformação que a Terra já experimentou. Ela tem se manifestado no mundo externo através das crises ambiental, econômica, climática, entre tantas outras. A palavra crise nos remete a sentimentos negativos, mas, na verdade, as crises contêm elementos preciosos para a transformação. Ao meu ver, toda crise é muito bem-vinda, justamente porque está a serviço da evolução da consciência humana. Em um nível mais profundo, a crise revela nossa limitada percepção da realidade. Significa que algo ainda não foi compreendido e precisa ser integrado à nossa visão de mundo. É uma oportunidade de aprendizado. Alguma coisa em nós mesmos precisa ser transformada para que possamos compreender melhor as coisas e atuar de uma nova maneira. É hora de colocar algo novo em movimento.

Um importante ponto a ser compreendido é que não há separação entre o que ocorre dentro e o que ocorre fora de nós — o externo é reflexo do interno. O que ocorre no macrouniverso é um reflexo do microuniverso e vice-versa. Portanto, a origem de qualquer crise, guerra ou doença se encontra dentro de nós mesmos. Assim como nossa percepção de mundo, a forma que reagimos e atuamos em nossa vida cotidiana também é influenciada por diversos fatores externos: cultura, educação, classe social, etnia etc.

Na física quântica, isso é chamado de Princípio da Correspondência, uma lei que diz que o universo quântico (micro), que para nós é invisível, corresponde ao universo "clássico" (macro), que é a forma como vemos o mundo normalmente. Mas não é preciso decifrar esses conceitos para compreender que aquilo que se manifesta fora de nós é um reflexo daquilo que está dentro de nós. Basta observarmos como funciona a natureza e a própria vida. Cada pessoa cria para si uma realidade, um mundo diferente, de acordo com sua história, suas condições físicas e mentais, sua cultura, suas crenças e seus condicionamentos. O que ocorre na sua vida é um reflexo daquilo que você é. Nós somos cocriadores da realidade.

Em nossa vida cotidiana, atuamos a partir do que nossos limitados sentidos captam e do que nossa pequena capacidade de compreensão consegue conceber. Por isso o mundo não é exatamente como percebemos; ele é muito mais complexo e rico do que conseguimos ver, ouvir e entender. Se olharmos para as últimas descobertas da física e da mecânica quântica podemos ver o quanto nossa concepção de mundo é limitada, mesmo considerando as descobertas da ciência. Porém essa visão limitada de mundo é o que dispomos para nos movermos no mundo e é a partir dela que decidimos, escolhemos e atuamos (muitas vezes, de forma arrogante, como se soubéssemos tudo).

Com tudo isso, estou querendo enfatizar que a raiz da crise encontra-se dentro de nós. Portanto, quando falamos de enfrentar a crise, estamos nos referindo a uma necessidade de transformação interna, ou seja, as mudanças que desejamos que aconteçam no mundo ao nosso redor precisam ocorrer, principalmente, dentro nós mesmos. É preciso cortar o mal pela raiz ou, para ser mais específico, é preciso tratar e curar a raiz.

Nos próximos capítulos, veremos que as sementes que dão origem às nossas raízes e árvores encontram-se contaminadas pelo medo e pelo ódio, e que esses são os pilares que sustentam o sofrimento da humanidade.

POR QUE SALVAR O CASAMENTO?

Aquilo que conhecemos por casamento, que é a união estável entre duas pessoas para constituir uma família, na maioria das vezes, também é uma instituição criada a partir do medo e do ódio e, assim como tudo o que sofreu essa contaminação, também está entrando em colapso.

Os sinais disso são claros. Basta ver o grande número de pessoas que se casam e têm filhos de forma automática, sem nem saber se querem ou porque, apenas seguem uma programação coletiva estimulada pela família, pela religião ou pela economia. Basta ver a epidemia de separações, a desesperança e o ceticismo sobre a possibilidade de ser feliz num relacionamento. Basta observar o crescente número de casos de depressão e de suicídio.

Movidas pelo medo e pelo ódio inconscientes, as pessoas se encontram, mas não sabem o que, de fato, querem umas das outras. Elas estão buscando algo, mas não sabem o que é. Elas ignoram que estão procurando uma parte de si mesmas no outro e se iludem com a ideia o outro é a fonte da felicidade. Essa ideia é fonte de grande sofrimento nas relações.

Eu afirmo que se pudéssemos ter relacionamentos amorosos, saudáveis e construtivos, certamente, não haveria tanta maldade no mundo. Não haveria tanta guerra, corrupção e miséria. E a proposta deste livro é justamente ser um aliado no processo de transformação, auxiliando na ressignificação do conceito de casamento e, consequentemente, do conceito de família. Porque enquanto o casamento e a família não forem ressignificados — o que é sinônimo de iluminar o núcleo da sociedade — não haverá mudanças. Ou melhor: haverá mudanças, mas a custo de grande sofrimento. A transformação é inevitável, mas o sofrimento pode ser evitado. A dor da mudança é inevitável, mas o sofrimento é desnecessário.

Precisamos urgentemente plantar novas sementes, sementes de confiança, união e amor verdadeiro. É por isso que estou aqui falando sobre o que chamo de "Novo Casamento". Porque, nessa transformação planetária, os relacionamentos em geral são fundamentais, mas o relacionamento afetivo-sexual é o viveiro em que brotarão as flores e os frutos de uma nova realidade — esse é o núcleo principal.

Ao longo deste livro, oferecerei chaves para facilitar o processo de transformação, que nada mais é do que um processo de cura. Através da observação dos sintomas, podemos encontrar e tratar a causa da doença. O que temos feito até agora é cuidar dos sintomas, mas a cura só poderá acontecer quando tratarmos a origem da doença que se encontra na esfera nuclear do relacionamento afetivo-sexual. Acessando esse núcleo, podemos realizar a alquimia interior que possibilita a transformação do ódio em amor, do medo em confiança e do egoísmo em verdadeiro altruísmo. Então, transformaremos o chumbo em ouro.

A CORAGEM DE AMAR

Essa tão urgente transformação nos convida a nos libertarmos das crenças a respeito de como viver um relacionamento amoroso. Nos convida a desfrutar as relações verdadeiramente amorosas. Estou falando de uma união que envolve transparência, em que não há segredos. Um relacionamento em que há abertura para encarar a revelação do outro e para abrir mão do vício de acusar o outro pela própria infelicidade. Estou falando de uma parceria em que ambos se dispõem a assumir a própria responsabilidade quando as crises surgem.

É necessário ter muita disposição e coragem para realizar uma união assim. Porque, para isso, você terá que abrir mão de uma série de vícios e comportamentos moldados pelo ódio e pelo medo: apegos, jogos de acusação e poder, dependência, ciúme, posse, vingança e todos os outros mecanismos de defesa que têm origem na carência afetiva.

Amar requer uma grande coragem, a coragem de ser humilde. Somente com muita coragem você pode ser humilde. Todo orgulhoso é um grande covarde, pois o orgulho é uma armadura que serve para impedir a revelação. Para amar, você terá que se tornar extremamente suscetível. Terá que lidar com uma profunda fragilidade, terá que expor seus pontos mais vulneráveis.

Este livro é um convite para o humilde corajoso que te habita. É um chamado do seu próprio coração. É um pedido do próprio amor para que você se torne um com ele. É um convite para vivenciar uma grande aventura. É também um guia prático sobre como se libertar do maior medo do ser humano: o medo de amar.

A SEPARAÇÃO INTERNA

Podemos comparar a jornada humana a um grande jogo, que alguns consideram um jogo divino. Ao nascermos neste plano, nesta realidade material, somos submetidos às leis desse jogo. Alguns chamam esse processo de encarnação, mas não é preciso compartilhar dessa visão para concordar que todos compartilhamos uma mesma realidade material e que uma das regras dessa realidade é que tendemos a nos perceber como indivíduos separados do todo e relativamente independentes.

Para a psicologia, esse sentimento de separação surge no momento da formação do *self*, a noção do *eu*, que se percebe apartado do resto. No hinduísmo, essa percepção de que somos separados do todo é um efeito causado pelo véu de *maya*, que encobre nossa visão e produz a ilusão cósmica, que nada mais é do que essa ideia de individualidade e o esquecimento da nossa verdadeira identidade, que é divina e unificada com o todo. Os budistas chamam essa realidade ilusória e transitória de *samsara*. E se quisermos alcançar o nirvana, o estado de unidade, precisamos transcender essa visão limitada criada pela mente. Mas, em qualquer uma das tradições ou áreas de conhecimento, o final desse jogo é quando o Ser desperta do sonho e encontra a unidade, que é sua realidade permanente.Qualquer que seja a forma de ver o mundo, o final do jogo é quando o Ser desperta do sonho e encontra a unidade.

Segundo a tradição hindu, quando o Ser encarna em uma matriz corpórea e tem sua visão coberta pelo véu de *maya*, ele começa a se esquecer da sua natureza primordial, da sua essência, que é divina, e começa a formar uma falsa ideia de eu, que é construída a partir de referências externas que são absorvidas pelo ego. As vertentes mais influentes da psicologia não reconhecem uma origem divina ou, pelo menos, não nomeiam dessa forma, mas concordam que nossa personalidade começa a ser formada a partir de referências externas. Um ego começa a ser construído e, assim, o jogo começa.

A função do ego é ser mediador entre o mundo externo e o mundo interno. Sem ele, não seria possível experienciar a vida na Terra. Ele é o responsável pela individualização, ou seja, pela ideia do *eu*. Ele serve como referência de identidade, porém uma identidade que tende a sentir-se separada do todo. Conforme a ideia de eu vai sendo fortalecida e, portanto, o sentimento de separação também vai crescendo, uma angústia começa a surgir. Isso ocorre logo nos primeiros meses de vida. Essa angústia nasce justamente do sentimento de separação e do esquecimento da essência primordial, da verdadeira identidade. Esse sentimento é atenuado quando a criança recebe os cuidados da mãe, porque isso faz com que ela relembre do estado de unidade. Então, conforme o ego e o sentimento de individualidade vai sendo fortalecido e, portanto, a angústia de sentir-se separado vai aumentando, um aspecto da consciência que busca a reconexão, que busca voltar ao estado de unidade, é ativado: a sexualidade.

A palavra "sexualidade" pode remeter a vários conceitos, mas neste estudo, ao falar de sexualidade, estou tratando de um aspecto da consciência que pode se manifestar através de três forças: sexo, eros e amor. Todos eles são desdobramentos da mesma energia vital, que se manifesta neste plano como energia sexual, criatividade, alegria e tudo o que gera prazer. Essa energia é a força criadora do Universo sobre a qual vamos falar muito neste livro. Esses aspectos são forças que têm em comum a busca da fusão, o retorno à essência.

Portanto, sexualidade não se refere somente ao ato sexual em si, mas sim ao conjunto de aspectos internos (memórias, projeções, fantasias e desejos) e externos (culturais e sociais) que acabam influenciando na escolha dos parceiros e no nosso comportamento nas relações. É preciso compreender que a energia sexual é um aspecto da energia vital. Na verdade, elas são a mesma coisa. A energia vital permeia tudo o que existe, tanto a vida humana quanto os reinos mineral, vegetal e animal. Ela materializa a própria vida e é responsável pelo impulso básico de atração física e biológica entre corpos, que também podemos chamar de energia sexual.

O sexo é um fenômeno que ocorre através deste impulso, porém sexo sem eros é sexo animal, cuja função é somente a procriação da espécie. Desprovida de eros e amor, a energia sexual é puramente biológica.

Eros, ou força erótica, é uma qualidade da energia vital que se manifesta somente através da consciência humana, ou seja, não existe eros no reino animal. Eros gera uma atração que vai além do impulso biológico. Podemos dizer que eros se assemelha à paixão, pois ele é um encantamento. E esse encantamento não depende de sexo, pois é muito comum alguém se apaixonar por outra pessoa sem nunca ter estado com ela sexualmente, ou até mesmo sem conhecê-la. Eros é um fogo que cresce e arrebata. E quando somos arrebatados por este poder, somos capazes de fazer muitas coisas em nome dele. Portanto, eros é a coisa mais próxima do amor que o ser humano ainda não desperto pode experimentar. Movido pela paixão, o indivíduo sente impulsos de ir além de si mesmo, de querer ver o outro feliz e experimenta correntes de afeição e cuidado com o outro. Eu diria que eros nos dá uma "amostra grátis" do amor real, o que impulsiona nossa busca por ele e, consequentemente, pela unidade. Portanto, sem eros, não haveria relacionamentos afetivo-sexuais, pois o que leva duas pessoas a permanecerem juntas é a força erótica.

Porém eros ainda não é amor. O amor é uma qualidade, uma fragrância do Ser, ou seja, é uma manifestação da própria essência do ser humano. Ele só pode se manifestar quando a entidade humana for capaz de avançar no processo de purificação da natureza inferior. Ele é um estado permanente da alma, uma presença constante, mesmo que a maioria das pessoas ainda não possa experimentá-lo.

Eros, por sua vez, é impermanente. Ele bate na nossa porta subitamente, levando-nos de surpresa, muitas vezes contra nossa vontade consciente e, dependendo do desenvolvimento dos parceiros, ele permanece por mais tempo ou não. Eros se assemelha à paixão, justamente por causa desse arrebatamento súbito. Porém eros em si mesmo é um raio de luz, é a consciência maior nos direcionando para onde precisamos ir. E a paixão é um desdobramento de eros que resulta da conexão da força erótica com os conteúdos psicoemocionais da personalidade. E esses mesmos conteúdos, quando não devidamente purificados ou integrados, impedem que eros atinja sua meta de despertar o amor em nós.

A paixão pode iniciar o processo de união entre duas pessoas, porém raramente ela permanece em um relacionamento longo. Isso porque a paixão tem como objeto uma fantasia, uma idealização do outro. Projetamos no outro sonhos e aspectos não integrados de nossa própria consciência, em geral, traumas de infância. Em outras palavras, nos apaixonamos por uma ilusão. Por exemplo, se ainda não integrei algo relacionado ao abandono materno e encontro alguém que, de alguma maneira, me lembre minha mãe, vou projetar no outro a esperança de ser acolhido e vou me apaixonar por ele. Isso ocorre porque o ser humano busca reencenar as cenas traumáticas da infância na idade adulta com a esperança de curar as feridas ainda abertas. Para isso, buscamos parceiros que contêm o melhor e o pior dos nossos pais. Porque, no fundo, existe uma esperança mágica de que desta vez será diferente. É um mecanismo que tenta reparar o passado.

A pessoa movida pela paixão acredita querer o bem do outro, mas não é assim. A paixão é egoísta. O querer bem nada mais é que uma estratégia para ter suas expectativas atendidas, para curar as feridas do passado. Mais cedo ou mais tarde, porém, a verdade vem à tona: ninguém pode curar nossas feridas, a não ser nós mesmos. Essa descoberta é o mais longe que a paixão pode nos levar na jornada. Se não for temperada pelo amor, a relação irá retroceder, porque eros na forma da paixão acorda os monstros internos: insegurança, ciúmes, carência, possessão — todos os aspectos ou marcas do passado que ainda não foram curados. Nós atraímos justamente aquilo que precisamos integrar. É sempre assim. Se o casal for maduro o suficiente para lidar com os balanços da relação, compreendendo que isso faz parte da jornada, eles poderão atravessar as noites escuras da relação, e alcançar a meta maior, que é o amor.

Com isso, podemos compreender um pouco mais sobre a importância dos relacionamentos dentro do jogo da vida. Eles estão justamente a serviço da realização da meta final, que é a experiência da unidade. Na realidade, a vida humana foi projetada para que isso aconteça. A própria dualidade entre masculino e feminino é uma expressão desse fenômeno. Os opostos existem justamente para serem reintegrados. A energia gerada pela tensão dos opostos é o que possibilita o nascimento de algo novo. E é através da união entre os princípios feminino e masculino dentro de nós que a experiência máxima da unidade ocorre. Falaremos mais sobre isso e outros aspectos ligados à ativação da sexualidade ao longo deste estudo.

LEMBRANÇA DA META: DESPERTAR O AMOR

Podemos dizer então que a meta do ser humano é retornar ao estado esquecido de unidade, o que é sinônimo de despertar o amor. Digo "despertar", porque o amor encontra-se em estado adormecido dentro de nós. Sem amor, experimentamos a vida como sonâmbulos. Mas também poderíamos dizer que o amor está escondido, guardado, congelado... Ele está presente, mas está inativo. Mas de que serve a fragrância do perfume se não podemos experimentá-la?

Despertar o amor é a razão mais profunda de estarmos aqui. Isso é o que nos move neste plano — é o que nos faz levantar de manhã e fazer o que precisamos fazer. Alguns estão conscientes disso e sentem alegria de viver. Outros estão tendo vislumbres da unidade. Porém a maioria não está consciente disso e, por isso carrega uma profunda angústia por não conseguir ver sentido na vida. Não há motivo para acordar de manhã. Isso gera depressão, angústia e sentimento de não pertencimento.

Despertar o amor equivale a iluminar todas as sombras que nos habitam; significa acordar do encantamento da matéria e libertar-se do apego a ela. Nesse contexto, matéria é tudo aquilo que te desvia do amor; tudo aquilo que faz você se manter sonhando o sonho da separação. Despertar o amor é também uma possível tradução do mantra que resume a missão da linhagem espiritual a qual pertenço, a linhagem *Sachcha*: PRABHU AP JAGOPARAMATMAJAGOMERESARVEJAGOSARVATRAJAGO — "Deus desperte, Deus desperte em mim, Deus desperte em todos e todos os lugares". Deus é amor, por isso oramos e cantamos para que o amor desperte.

O amor desperto é um fluxo contínuo de compaixão; é quando podemos nos colocar no lugar do outro e sentir a dor dele; quando reconhecemos o potencial adormecido no outro e damos força para esse potencial se manifestar. É uma vontade sincera de ver o outro brilhar; de ver o outro feliz e satisfeito. É isso que eu chamo de "autêntico altruísmo". A principal característica do amor desperto é a doação desinteressada. Assim como a flor espalha seu perfume e sua beleza gratuitamente; assim como o sol espalha o seu calor e a sua luz; assim como a chuva molha a terra, e a água mata a sede, a essência do ser humano ama.

Eu sei que para muitos esses conceitos podem parecer bastante esotéricos ou românticos, mas eu afirmo: assim é. Esse conhecimento é um produto da minha própria experiência, pois não há outra maneira de conhecer a verdade se não a experimentando. Não é possível fornecer provas que demonstrem essa verdade; ela precisa ser vivida. Somente quem experimenta a fragrância do amor sabe como ela é.

Essa jornada do amor é cheia de desafios, mas é através deles que avançamos. Quando os desafios dos relacionamentos começam a aparecer, muitas vezes, somos completamente tragados pela descrença e pela desesperança; pelo medo e pelo ódio. Os relacionamentos trazem grandes provas; eles nos espremem e cutucam nossas feridas. Então, muitas vezes, achamos que não tem saída. Somos levados a pensar que esse negócio de relacionamento não é para nós e nos perguntamos se vale a pena jogar esse jogo. Nessa hora, é importante lembrar da meta: estamos aqui para amar e criar união. Esse é o jogo.

CAPÍTULO 1

EU

Para encontrarmos formas de ressignificar o casamento, precisamos, antes de mais nada, saber qual é a origem da guerra entre os sexos, ou seja, a origem do sofrimento nas relações. Por que é tão complicado se relacionar?

O primeiro ponto a ser compreendido é que o problema não está no relacionamento em si, o problema não está no jogo (porque o relacionamento é apenas um instrumento do jogo divino), mas sim dentro de cada um de nós. Não adianta procurar a origem do sofrimento dentro do relacionamento ou no outro, porque a origem dessa dor está dentro de nós. E é a partir dessa dor, desse sofrimento, que muitas das nossas relações acabam se baseando. E como o outro com quem nos relacionamos também carrega dor, as consequências e os desdobramentos podem ser infinitos, já que a dor gera defesas complexas. É isso que torna as relações humanas algo tão complicado.

Portanto, uma das principais causas da complexidade nas relações, e o que impede que elas tenham o devido lugar na nossa vida, é justamente o desconhecimento a respeito da origem da dor em nós mesmos.

O BLOQUEIO DA ESPONTANEIDADE

A força criadora do Universo, também conhecida como energia vital, é o princípio que rege a vida, é a inteligência por trás de todas as coisas. Essa energia está presente em tudo que é vivo, é um poder que está dentro e fora de nós, em todos os lugares. É o que os hindus chamam de *prana*, e o que os chineses chamam de *chi*. Ela é a Verdade em si mesma, porque ela flui através de nós gerando e mantendo a vida, sempre em busca da união, da construção, da luz, da alegria, da paz e da prosperidade — em busca do prazer. Na verdade, ela é a própria fonte do êxtase.

Porém, em algum momento, esse fluxo de energia dentro de nós sofre uma interferência, um bloqueio, que também podemos chamar de perturbação. Isso acontece logo cedo na vida, quando a sexualidade é ativada e começa a se manifestar na criança.

A sexualidade, como expressão da consciência que está em busca da fusão, pode se desdobrar de muitas formas: em alegria, brincadeira e celebração, mas eu costumo resumir todas essas expressões em uma palavra: espontaneidade. E tendo a sexualidade ativada, a criança experimenta o prazer de muitas maneiras. Ela descobre que existe conforto não somente quando está no colo da mãe, mas quando está chupando o dedinho, ou quando está brincando com ela mesma. Em cada fase de desenvolvimento, ela descobre um instrumento que lhe dá prazer: primeiro a boca, depois o ânus, entre outros instrumentos. Esses instrumentos lhe trazem prazer e, com isso, a lembrança do estado de unidade. Na medida em que o ego se desenvolve e a sexualidade é mais intensamente ativada, a criança começa a descobrir o seu próprio órgão sexual, que é o lugar em que há mais células nervosas, o que intensifica o sentimento de prazer, ou seja, intensifica o vislumbre do estado de unidade. Mas quando ela começa a descobrir essa área é geralmente quando começa a ouvir: "não! Pare com isso! Isso é errado, isso é feio, isso é sujo, isso é pecado...". E através dessa repressão da espontaneidade, o medo e o ódio começam a se instalar no sistema da criança.

Para se desenvolver de maneira adequada, a criança precisa de alguns elementos, entre eles, o mais fundamental é o amor — entendendo que amor, para ela, é toque, é contato com a pele, é presença física. Ela também precisa de alimento e de proteção, pois a experiência da individualização, automaticamente, gera medo. E como ela ainda não tem a razão desenvolvida para entender que os pais estão trabalhando para sustentá-la, mesmo que ela fique sozinha por curtos espaços de tempo, automaticamente ela entra em contato com o medo e, consequentemente, com o ódio. Sempre que a satisfação dessas necessidades não é atendida, surgem esses sentimentos.

Por fim, a criança precisa de liberdade para se expressar. Vamos supor que ela está brincando e pulando no meio da sala. Porém os pais estão num momento difícil e não querem que ela faça isso. Ou então o pai está lendo o jornal e quer silêncio. Então, ele diz: "cale a boca, fique quieto! Que feio fazer isso". Esse tipo de repressão da espontaneidade se repete muitas vezes na infância, e como a criança precisa de amor, alimento, proteção e liberdade, nesse momento, ela sente sua vida ameaçada. Ela sente que se não ceder a essa ordem, ela deixará de receber o que precisa para continuar vivendo. Aos poucos a espontaneidade vai sendo contaminada pelo medo. Ela, então, começa a se adequar àquilo que está sendo exigido dela, ou seja, ela começa a usar uma máscara. A máscara não é ela, mas ela entende que, para continuar recebendo o que precisa, ela tem que usar essa máscara. No mundo fora de casa, com os amiguinhos, às vezes, ela sente que pode ser ela mesma, mas em casa, ela tem que usar a máscara para receber o que precisa.

Outro momento importante no desenvolvimento infantil é quando a criança começa a sentir atração pelos pais (o famoso complexo de Édipo), e isso também é visto como algo vergonhoso e pecaminoso. Mas para a criança, esse sentimento é natural e não tem as mesmas conotações luxuriantes atribuídas pelo adulto. Os pais são as primeiras referências de feminino e masculino com as quais a criança entra em contato, e é perfeitamente normal que elas sintam atração.

Esse é um fenômeno natural do desenvolvimento da consciência. É uma busca pela fusão; pela unidade. Porém essa expressão da consciência sempre foi muito mal compreendida. São raros os pais que sabem lidar com isso, pois eles não podem compreender a sua própria sexualidade. Então, quando começam a ver o florescimento da sexualidade da criança, eles se assustam e não sabem o que fazer. Alguns, lamentavelmente, se deslumbram com isso e cometem erro de deixar a própria sexualidade ser ativada, e acabam cometendo abuso sexual. Outros, simplesmente, põem uma cortina e fingem que não estão vendo nada, como se nada estivesse acontecendo. Mas a grande maioria tenta eliminar o impulso quando ele surge na criança, pois simplesmente não sabem como lidar com isso.

O ROMPIMENTO COM A ESSÊNCIA

A partir desse distanciamento da espontaneidade, inicia-se o processo de divisão interna na criança, e em um dado momento, uma situação específica acaba completando a cisão. É nesse ponto que a entidade em evolução perde a conexão consigo mesma. Nesse momento, esquecemos quem somos e passamos a acreditar sermos a máscara. É como se fôssemos cortados ao meio. Esse é o momento da origem da dor – a dor gerada pelo rompimento com a nossa essência.

Todos nós passamos por esse processo. É impossível se desenvolver neste plano sem traumas. Porque, para o próprio bem da criança, os pais precisam colocar limites. A questão é a forma como os limites são colocados. Se for com amor e consciência, a criança vive uma dor momentânea, mas não sofre um trauma capaz de impedir a reunificação mais tarde. Quando os limites são colocados com estupidez e violência, um trauma profundo pode ser criado. No entanto, não existem culpados. Muitos traumas são transmitidos de geração em geração, porque os pais, quando crianças, também sofreram repressão. Essa pode ser uma cadeia de ação e reação que se perde no horizonte do passado.

Essa dor gerada pelo rompimento com a nossa essência é tão profunda, que é como se um buraco se abrisse dentro de nós. Experimentamos um grande vazio criado pela ausência do verdadeiro eu. E para lidar com isso, iniciamos um processo de negação e de amortecimento. Tentamos preencher esse vazio de diversas maneiras, e começam a surgir necessidades simbólicas, ou seja, falsas necessidades que servem para suprir uma carência. Então, começamos a arranjar doenças, compulsões e infinitas distrações. Começamos a querer ser muito importantes, reconhecidos e respeitados.

As necessidades podem ser infinitas, mas o principal elemento utilizado para aliviar ou anestesiar a dor é a própria energia sexual, já que nosso sistema carrega a memória de que isso proporciona alívio e reconexão. Só que nesse ponto, a sexualidade já está contaminada pelo medo e pelo ódio, o que acaba dando origem ao que chamamos de luxúria, que nada mais é do que um mecanismo de defesa criado para proteger a entidade da carência. A luxúria é uma das filhas da repressão sexual. Dela, nasce todo tipo de perversidade; todo tipo de pornografia. Falaremos muito sobre ela ao longo deste estudo.

POR QUE NÃO NOS LEMBRAMOS DA RUPTURA?

A ruptura com a essência é um momento doloroso demais para acolher na memória. Para lidar com essa dor aniquilante e para escondê-la de forma que nunca mais entremos em contato com tais sentimentos, nós usamos um mecanismo chamado "negação".

A negação é outra filha da repressão. A partir dela, nascem as máscaras e muitos outros mecanismos de defesa, entre eles, as matrizes do eu inferior: a gula com todas as suas manifestações de voracidade; a preguiça, que é a paralisação diante do que precisa ser feito devido aos sentimentos negados e presos no sistema. A paralisação pode ser ativa (um *workaholic* pode ser um preguiçoso que faz muitas coisas, menos o que precisa ser feito); a avareza é o desejo de acumular e de se proteger atrás do que se tem; a ira, que em sua forma passiva é indiferença e em sua forma ativa é violência, ou simplesmente o desejo de machucar; o orgulho e seus desdobramentos (vaidade, vergonha, arrogância, autoimagem, complexo de inferioridade e superioridade); a luxúria, que é usar a energia sexual para ter poder sobre o outro; o medo, incluindo a dúvida, o ceticismo e todos os tipos de pânico; e a mentira, desde a mais grosseira que você conta para o outro com o objetivo de se promover, até o autoengano, que é não saber quem é você.

Mas entre essas manifestações da natureza inferior, o medo se sobressai. A pessoa reprimida vive com medo — medo da vida. E uma das manifestações do medo é a insegurança; ela não acredita no seu poder. Ela pode ter dons maravilhosos, mas não os reconhece. Se formos atrás do medo, encontraremos a repressão. Encontraremos esse ambiente no qual você foi impedido de ser você mesmo. Do medo, nasce a ansiedade, entre outros sintomas.

Como já vimos, quando fomos reprimidos, tivemos que criar uma máscara para sobreviver. Nós tivemos que fingir ser outra coisa para podermos ser aceitos. Então, passamos a acreditar que somos isso. Mas, de alguma maneira, você sabe que não é a máscara, e esse é um segredo carregado de culpa, por isso você precisa escondê-lo até de si mesmo. Você tem vergonha de ser você mesmo. Essa máscara se tornou um tirano cruel. Mas todos nós passamos por isso. Todos passamos por choques que provocaram dor e denunciaram aspectos cruéis da experiência humana. E para evitar o contato com essa crueldade, com essa dor, esses mecanismos de defesa são ativados, e você tem uma falsa sensação de não estar sentindo. A negação gera essa falsa sensação de que está tudo bem.

Anos atrás, assisti a uma cena em que uma criança de aproximadamente dois anos de idade foi tratada com muita estupidez pelo seu pai. Ele não quis levá-la para um passeio de carro. Eu estava por perto, ao lado da mãe dessa criança, e, nesse momento, pude vê-la contendo as lágrimas que queriam cair. A mãe estava junto dela, mas ela queria ficar com o pai, e ele foi estúpido com ela. Eu conhecia a família e sabia que na casa dela não era permitido chorar. Esse pai não aceitava o choro dos seus filhos. Foi triste assistir àquela cena e ver nascer o processo de negação nessa criança tão novinha. Ela conteve o choro e mostrou indiferença. Ela negou a dor que estava sentindo por não estar sendo acolhida. Naquele momento, minha visão se abriu. Pude ver o *karma* daquela criança e tive a triste constatação de que ela sofreria muito nessa vida. Voltei a encontrá-la 11 anos depois e pude comprovar o *insight* que tive naquela época. Era uma jovem que não conseguia ter nenhum contato afetivo com o outro e, aos 13 anos de idade, já carregava uma série de somatizações, como asma, alergia, pânico.

A ORIGEM DO MAL

Até agora, nós vimos como a repressão deu origem à negação e a todos os mecanismos de defesa e máscaras. Isso ocorreu por meio de uma interferência no fluxo da energia vital, que foi impedida de seguir seu curso natural rumo à espontaneidade, tendo que ficar contida. Nesse ponto em que a energia vital é bloqueada, na verdade, ocorre uma espécie de divisão. O fluxo da energia, que naturalmente se orienta em direção ao amor e à união, continua presente, porém uma parte dele passa a se mover na direção contrária. Ocorre uma distorção.

A corrente de energia vital dividida passa a se mover em duas direções opostas dentro de nós. Uma parte segue seu curso em direção ao amor, à união e à construção (positividade), e outra passa a se mover em direção ao ódio, à separação e à destrutividade (negatividade). Isso significa que tanto a criação quanto a destruição nascem da mesma fonte de energia — positividade e negatividade são expressões da mesma força. Essa divisão dá origem a algo que todos nós experimentamos e que eu chamo de "prazer negativamente orientado", "intencionalidade negativa", "prazer no desprazer" ou, simplesmente, "sadomasoquismo".

Por exemplo, conscientemente, você quer saúde, mas, por alguma razão, faz tudo aquilo que estraga a sua saúde: você come errado, não trata o seu corpo adequadamente, se machuca de diversas maneiras. Você cria a doença, porque desconhece que, assim como quer saúde, também quer a doença. Outro exemplo: você quer ter um relacionamento saudável, no qual você é bem tratado e respeitado, mas quando uma pessoa legal aparece, você a rejeita. Você só se apaixona por pessoas que fazem justamente o contrário: te rejeitam e maltratam.

Essa energia distorcida se manifesta através das matrizes do eu inferior que citei anteriormente. Ela gera destruição e pode ser voltada tanto para o outro quanto para nós mesmos. Isso é o que comumente é chamado de "maldade", que nada mais é do que o resultado dos mecanismos de defesa que desenvolvemos para nos protegermos da dor dos traumas que vivemos na infância. Quanto maior a maldade, maior a dor. Esse é um ponto que precisa ser realmente compreendido, pois a chave para a libertação está na compreensão da origem da maldade, ou eu inferior.

O ser humano, no decorrer da sua jornada, foi ensinado a temer o mal. Ele condena a maldade tanto no outro quanto em si mesmo. Ele tenta fugir dela, principalmente, quando a maldade é sua. Esse medo é o que nos impede de lidar com a maldade, e isso faz com que ela ganhe poder. Esse é mais um fruto da negação. É ela que impede que nos libertemos da maldade, ela é a carcereira dessa prisão.

Não estou louvando o mal. Estou dizendo que negar sua presença em nós mesmos nos torna aprisionados a ele para sempre. Há que se ter disposição para compreender por que ainda somos canais da maldade. Tudo aquilo que entendemos como violência, ignorância, competitividade, mesquinhez e crueldade nesse mundo são um pedido de socorro, um grito desesperado. A pessoa que está vibrando na maldade está sentindo uma grande dor. Tudo o que ela quer é acolhimento. Ela quer um olhar de aceitação e de amor. Se, de alguma forma, a pessoa está sendo canal da maldade, é porque ela carrega uma dor que ainda não foi aceita e dissolvida, o que significa que uma parte dela está separada e precisa ser integrada. Integração é sinônimo de unificação. Essa é a meta: unir as partes que se encontram separadas. E o que impede a integração é justamente a negação da maldade.

O PRAZER NO DESPRAZER

Para conseguir reconverter a energia vital distorcida, será preciso encarar de frente a maldade, na intenção de enxergar a dor que ela esconde e vivê-la novamente, mas de modo consciente, a fim de integrá-la de uma vez por todas. Esse é o caminho que tenho proposto para te ajudar a reencontrar o caminho de volta para casa, ou seja, de volta para si mesmo.

Uma boa pista dentro dessa proposta de estudo é observar as situações negativas que se repetem no decorrer da sua história. Se uma situação desagradável se repete, provavelmente, existe uma relação disso com o momento em que a energia vital foi distorcida dentro de você. Esse bloqueio da energia gera o que na psicologia chamamos de "fixação", ou seja, a psique fica fixada nesse ponto e isso funciona como um imã que atrai essas situações. Então, quando menos espera, você cai novamente no mesmo buraco. Se você procurar, você encontrará nesses episódios os mesmos elementos do momento do bloqueio da energia, ou seja, eles são uma reedição do momento original, no qual você foi excluído, humilhado ou rejeitado. E como já vimos, isso ocorre porque existe uma esperança de que a cena seja diferente.

Isso é o que tenho chamado de "círculo vicioso do sadomasoquismo". Como a palavra diz, trata-se de um círculo vicioso em que existe prazer em machucar e ser machucado, ou seja, a maldade é direcionada para o outro, mas também para si mesmo. Isso porque no momento em que a energia vital é distorcida e passa a se mover em direção à destruição, o prazer se conecta ao sofrimento. Esse é um aspecto da psique humana que costuma ser de difícil compreensão. Para muitos, isso pode parecer uma verdadeira loucura. Porque, em princípio, todos querem saúde, paz, prosperidade e alegria. Mas por que para alguns é tão difícil realizar esses desejos? Por que as situações negativas continuam sem que aparentemente tenham controle sobre elas? O que ocorre é que desconhecem a existência do prazer no sofrimento.

O exemplo mais fácil para ajudar na compreensão desse conceito é a insistência de algumas pessoas em permanecer em relações negativas, nas quais elas constantemente experimentam sofrimento. Algumas pessoas só conseguem sentir prazer em situações negativas, como ao rejeitar ou ao serem rejeitadas. O que mantém o sofrimento é o prazer que têm nele, mas elas não percebem isso. Esse prazer, na maioria das vezes, é associado a uma vingança. Certa vez, numa dinâmica de cura, um homem entrou em catarse. Ele estava vivendo um momento muito difícil na vida: embora fosse excelente profissional, com potencial reconhecido por muitos, ele não conseguia trabalho, estava endividado, com sérias dificuldades financeiras. Além disso, sua saúde estava bastante debilitada. Ao trabalhar assuntos relacionados ao pai, teve uma crise de asma que lhe permitiu identificar e expressar um tremendo ódio. Ele tomou consciência de que se sentia humilhado pela rejeição e falta de reconhecimento do pai. Num momento de intenso ódio, ele expressou para o pai: "eu vou afundar mesmo! Vou ficar cada vez pior e vou morrer, para que você possa depois morrer lentamente de culpa." Era visível o prazer que ele tinha neste pacto de vingança.

O laço entre a corrente vital (prazer) e o sofrimento pode ser tão forte que algumas pessoas têm a sensação de que irão morrer se abrirem mão de certos padrões negativos. Um exemplo claro disso são os vícios, mas isso também pode se manifestar na dificuldade de ganhar dinheiro ou de realizar-se profissionalmente. Isso ocorre porque a identificação com determinado aspecto do eu inferior é tão forte, que a pessoa, inconscientemente, acredita ser aquele aspecto. Então, abrir mão desse determinado aspecto é o mesmo que morrer.

Como disse, conceitos como esse podem ser de difícil compreensão, mas se puder se abrir para eles, procurando ampliar sua percepção, certamente você começará a observar exemplos disso no seu próprio dia a dia. Para podermos ir além da destrutividade, se faz necessário compreender profundamente a sua natureza. Quanto menor a consciência sobre o desejo pelo negativo, maior será o desespero pelo positivo. Corremos aceleradamente atrás do positivo, mas nunca o alcançamos, porque há uma força contrária nos segurando. E quanto mais esforço colocarmos nessa busca, pior será nossa situação, porque vamos precisar lidar com mais frustração. O constante fracasso reforça nossa insegurança e nossa sensação de impotência diante da vida. Muitas vezes, simplesmente perdemos as esperanças e nos tornamos céticos em relação à possibilidade de existir felicidade.

Se desconhecemos a existência de um desejo pelo negativo dentro de nós mesmos, ou seja, se não reconhecemos que somos nós que escolhemos dizer "não" para a felicidade, inevitavelmente acabaremos acreditando que somos vítimas e tentaremos encontrar culpados. Todos nós fazemos isso, com maior ou menor frequência e intensidade, dependendo de nosso estado de consciência.

Estando dentro de um relacionamento, normalmente culpamos nosso parceiro ou parceira. Mas se não estivermos nos relacionando, tentaremos colocar a culpa em alguém — em Deus, no vizinho, no colega de trabalho, no governo, no mestre espiritual. Não importa quem, qualquer um serve! Porque o que queremos é fugir do contato com os sentimentos negados, nascidos da dor original da separação de nossa espontaneidade. E são esses sentimentos que dão sustentação às repetições negativas.

Eu repito: se existe uma situação negativa se repetindo em sua vida, é você quem escolhe estar nessa situação, por mais que tudo indique a você que a culpa é do outro. Você é o único responsável por tudo que acontece na sua vida. Portanto, sempre que você se perceber correndo freneticamente atrás de um objetivo que se distancia em vez de se aproximar, tornando-se quase impossível de ser alcançado, atente para a possibilidade de haver um desejo deliberado pelo negativo agindo dentro de você. Enquanto não toma consciência desse desejo, você continua andando em círculos e alimentando a crença de que é uma vítima indefesa.

A AUTORRESPONSABILIDADE

Nesta altura da jornada, eu convido você a tomar consciência do seu desejo pelo negativo e a assumir a autorresponsabilidade, a principal virtude que precisa ser despertada para que o Novo Casamento aconteça. Estou comprometido a ajudá-lo a ir além da vítima que o habita. Essa vítima é uma ilusão. Você está onde coloca a si mesmo. E um aspecto fundamental para o desenvolvimento da autorresponsabilidade é a conscientização do seu desejo pelo negativo.

Muitos de nós nem conseguimos reconhecer que existe esse desconforto, de tão amortecidos que estamos. Sua consciência está turva. Eles não conseguem nem perceber que carregam uma angústia, quanto mais descobrir sua causa. Nesse caso, se faz necessário uma reflexão mais profunda.

O primeiro passo é buscar, com sinceridade, as insatisfações que vivem em você. Isso pode ser complexo, porque criamos véus e mecanismos de defesa para ocultar ou desviar os olhos de nossas insatisfações e outros sentimentos negados. Eu sugiro, então, que você procure entrar em contato com a Verdade que te habita, com o seu coração, para ver em quais áreas da sua vida você não consegue viver plenamente. Onde você não está satisfeito e segue procrastinando, simplesmente esperando o tempo passar?

Por exemplo, uma insatisfação profissional. Muitas vezes você está insatisfeito com determinada função, mas se mantém ali por medo e acomodação, frustrando seus sonhos e desejando que um milagre aconteça. Esse mesmo processo pode ocorrer na esfera dos relacionamentos. É muito comum adiarmos revelações e decisões que sabemos serem necessárias para trazer vida ao relacionamento, porque temos medo. E esse medo se mantém escondido por trás de inúmeras justificativas muito bem elaboradas. Às vezes, somos traídos, às vezes, traímos, e não conseguimos elaborar esses acontecimentos. Também pode haver desejos que não conseguimos revelar. E não conseguimos expressar esses sentimentos por acomodação, por medo ou por vingança.

Muitas vezes, ao entrar em contato com determinada insatisfação, podemos achar que não há saída e ser assaltados por um grande desespero. Neste momento, é preciso ter fé. Eu já percorri esse trajeto e posso dizer que há uma grande joia esperando por você do outro lado da escuridão. Para termos satisfação plena, nos sentirmos realmente inteiros na vida, será necessário ter coragem para encarar as insatisfações e finalmente encontrar o desejo pelo negativo que gera tal dificuldade.

É importante notar que o processo de desejar o negativo pode se apresentar de formas mais sutis, como evitar o que é bom. Quando impedimos que o prazer, a alegria, o sucesso e a prosperidade se manifestem nas nossas vidas, também estamos desejando o negativo. Esse mecanismo parece familiar a você? Acredito que você possa identificar episódios da sua vida em que você agiu exatamente dessa forma. Traga-os à memória e procure lembrar das suas sensações.

A partir dessa lembrança, identifique outras insatisfações e vá atrás desse desejo pelo negativo dentro de você. Ao se recusar entrar em contato com esses sentimentos, você estará adiando a felicidade e ampliando a ansiedade, a depressão, a culpa, a vergonha e a frustração de não se sentir realizado. Perceba que uma parte em você busca a iluminação, mas outra parte resiste à luz. Porque existe uma parte em você que sente prazer na escuridão.

Eu sei que esse ponto de conhecimento é realmente difícil de ser compreendido, mas ele é concreto como uma pedra. Eu estou falando de matemática psíquica: a dor só existe porque você quer e não quer uma coisa ao mesmo tempo. Faça um teste. Procure deixar a sua opinião de lado. Você já possui a versão dessa história, na qual tudo é apenas fruto do acaso, má sorte ou culpa de alguém. Guarde essa versão, reserve-a temporariamente — você não tem como perdê-la. Então procure abrir seu coração e sua percepção para uma nova versão, uma outra hipótese, na qual você deliberadamente tenha agido contra sua própria vontade consciente. Você verá que há uma nova coerência entre os fatos, ainda que você não consiga explicar por que agiu dessa forma.

O processo de evolução da consciência é desafiador. Muitas vezes, temos que encarar verdades bastante desagradáveis a nosso respeito, principalmente se estivermos identificados com a vítima, porque queremos passar o resto da nossa existência no jogo de acusações, acreditando que o outro é responsável pela nossa infelicidade.

A vítima que nos habita está constantemente repetindo para si mesma a seguinte sentença: "se eu for suficientemente infeliz, vou provar para o mundo que ele não deu para mim o que eu queria ter recebido". Esse prazer na dificuldade é uma verdadeira entidade, um eu da vingança, que, por sua vez, é um eu do ódio que foi ativado no momento do bloqueio da espontaneidade. Mas esse ódio se voltou contra nós mesmos. E, assim, seguimos prisioneiros dessa autossabotagem.

Ao identificar esse "não" para a felicidade, sinta-o profundamente. Não deixe que ele passe superficialmente, pois estamos falando de um poder muito astuto, que pode se manifestar de formas bastante sutis. Coloque todo o seu foco em identificar esse desejo deliberado pelo negativo, sinta-o realmente indo na direção oposta daquilo que determina a sua consciência objetiva. Aproprie-se desse conhecimento a seu respeito.

Veja com clareza o prazer que existe em resistir, o prazer de seguir na mão contrária daquilo que conscientemente você quer. Você quer harmonia dentro de uma relação afetiva, quer uma relação confortável, alegre, amorosa, quer amar e ser amado. Mas quando menos espera, está desrespeitando e machucando o outro e criando situações para ser desrespeitado e machucado por ele. Então, se já pode identificar essa contradição dentro de você, sugiro que, nesse momento, você amplie sua percepção a respeito dessa parte que não quer. Invoque a Verdade, Deus ou simplesmente seu coração e pergunte--se: "quem em mim deseja sofrer?". Procure ampliar sua consciência a respeito desse "eu" em você que está comprometido com a guerra.

O próximo passo é tomar consciência do estrago que essa escolha está causando na sua vida e na vida de quem está ao seu redor. Quando puder fazer isso, você estará pronto para interromper o círculo vicioso. A interrupção só é possível quando ocorre esse "clique" interior, quando você consegue dizer a si mesmo: "sou eu que estou escolhendo seguir na mão contrária. Estou escolhendo dizer 'não'. E, se estou dizendo 'não', também posso escolher dizer 'sim'".

Enquanto não identificamos esse nosso desejo, essa nossa escolha pelo negativo, não é possível fazer diferente. Se você desconhece seu poder de escolha, é natural que se sinta uma vítima. Mas ao perceber que é você que escolhe seguir na mão contrária do amor e da felicidade, você tem a chance de interromper o círculo vicioso.

A autorresponsabilidade é a virtude máxima que precisa ser iluminada para que o Novo Casamento aconteça. Mas eu sei que, muitas vezes, é difícil assumi-la, porque isso exige revisitar memórias, sentimentos e dores que foram negados e encontram-se represados dentro de nós.

Há que se compreender que, embora exista uma escolha deliberada, não totalmente consciente, essa escolha faz parte de uma espiral de energia que gera ciclos autoperpetuadores, ou seja, essas escolhas criam autonomia e passam a agir de forma independente. A escolha pelo negativo dá início a um movimento negativo em nossa vida, que vai sendo alimentado e cresce cada vez mais. Só interrompemos esse círculo vicioso quando colocamos algo novo em movimento. Esse novo surge a partir da consciência a respeito do poder que nos habita, porque aí podemos acionar nosso poder positivo, que também funciona como um ciclo autoperpetuador. Quando começamos a nos mover em direção à união, à construção, à harmonia e ao amor, isso também é infinito. É infinito o quanto podemos crescer em perdão, amor e luz.

NÃO EXISTEM VÍTIMAS

A autorresponsabilidade é a pedra fundamental que sustenta o caminho da autorrealização. Sem ela, a evolução não é possível. Lembre-se que nós estamos onde nos colocamos. Se você está num buraco, foi você que se colocou dentro dele. Se você está em um lugar agradável, confortável, também foi você que se colocou nele.

Eu sei que esse caminho que estou propondo pode ser bastante difícil para alguns, pois ele não deixa espaço para a vítima. Muitos realmente sofreram abuso e têm todos os motivos para sentirem-se injustiçados. Mas é preciso ter muita atenção, porque o ego facilmente se apropria da dor e congela a identidade no papel da vítima. E enquanto estivermos presos a esse papel, acreditaremos ter muitas razões para nos vingar, o que nos aprisiona ao círculo vicioso de destruição.

Estou te convidando a interromper esse círculo vicioso. E você faz isso quando compreende que a vítima está nos dois lados: no agredido e no agressor, no oprimido e no opressor. Todos foram vítimas em algum momento. O abusador de hoje também já foi abusado de alguma maneira. Aquele que rouba é tão vítima quanto aquele que é roubado, e aquele que exclui é tão vítima quanto aquele que é excluído.

Quando compreendemos essa verdade, somos capazes de sentir empatia pelo outro, mesmo que ele nos maltrate. Quando nos colocamos no lugar do outro e vemos a dimensão da dor que ele carrega, não há espaço para vingança. Abre-se, então, uma janela que nos dá a chance de interromper o sofrimento. Mas esse processo não se dá assim, racionalmente. O perdão não pode ser racional. Podemos até tentar estabelecer empatia intelectualmente, mas isso não tem o poder de nos libertar.

Para realmente integrar, o que é sinônimo de perdoar, é preciso entrar em contato com as emoções guardadas, com a tristeza e com a raiva. É preciso entrar em contato com o plano de vingança desse eu que se sente machucado e rejeitado. Independentemente do estágio em que se encontra nesse processo, você precisará ter a disposição para olhar isso de frente, até que possa liberar os sentimentos guardados e desprogramar as marcas que ficaram no seu sistema. Quando esse processo se completa, você se desidentifica do eu abusado. Isso é o que chamo de integração do trauma.

Afinal de contas, quem nunca foi abusado, rejeitado ou excluído nessa Terra? Até mesmo nas culturas mais evoluídas da história isso acontecia, então, o que dizer sobre os dias de hoje, quando há tanta ignorância e estupidez, tanta falta de amor? Nessa era que os hindus chamam de *Kaliyuga*, a era da escuridão, na qual o esquecimento da nossa natureza espiritual e divina é tão profundo e a identificação com o ego, com o corpo e com a nossa autoimagem é tão forte, que nós acreditamos que é preciso reagir e se vingar.

É a identificação com a ideia de eu e meu que nos faz reagir, muitas vezes, até com vingança, tornando-nos abusadores. Enquanto estivermos identificados com o ego, essa guerra nunca vai acabar. Queremos fazer justiça com as próprias mãos, porque acreditamos ser vítimas. Eu estou trabalhando firmemente para que você possa deixar essa identificação e olhar tudo isso através de uma outra perspectiva. Ao olhar de fora, com um certo distanciamento, você consegue perceber que não há vítimas. Ou se há, somos todos nós. Então, não faz sentido querer se vingar.

CHAVES PARA A RECONVERSÃO DA ENERGIA

Existem muitas camadas de energia distorcida encobrindo nosso verdadeiro eu. Na medida em que você vai removendo as camadas, sua percepção vai se ampliando, e você começa a perceber dimensões de sua essência que antes estavam encobertas. Tenho sugerido a quem busca a verdade que procure tomar consciência do momento em que perdeu a espontaneidade, o instante em que perdeu a capacidade de manifestar a verdade de seu coração, o momento no qual a confiança se transformou em medo e o amor se transformou em ódio. Ou, em outras palavras, o momento em encobrimos nosso eu superior, que é o nome que eu uso para designar a nossa essência, aquela que se manifesta pela expressão genuína da energia vital. Esse momento contém a chave da liberdade na nossa vida.

Existem algumas portas de saída desse labirinto. Sugiro o uso de três chaves que podem abrir as portas para a liberação da energia bloqueada:

A - Examine suas insatisfações

Como já disse anteriormente, uma pista importante são as suas insatisfações no dia a dia. Procure tomar consciência delas e do motivo pelo qual você está insatisfeito. Examine todas as situações que disparam em você esse sentimento e muito provavelmente você encontrará ali sinais e pistas para identificar aquele momento crucial de sua infância no qual houve o rompimento com a sua essência.Ao estabelecer a relação de causa e efeito com a dor original, você poderá identificar as máscaras que escolheu para se proteger e vai começar a abrir espaço para a cura.

Certa vez, durante um dos meus *satsangs** na Índia, uma mulher me escreveu um bilhete relatando que, ao seguir as instruções que eu havia dado (que incluíam ficar recolhida em silêncio, procurando entrar em contato com os sentimentos reprimidos), ela conseguiu acessar uma memória muito importante. Ao rever a cena do abuso sexual que sofreu, ela lembrou que naquele momento, sentiu prazer, e conseguiu ver que, na verdade, poderia ter escolhido não entrar no quarto do avô no dia em que foi abusada, mas ela quis fazer isso. Essa memória deixou-a tão surpresa que ela me perguntou se a lembrança era real.

Para muitas pessoas, ter consciência de algo tão condenável sobre si

* *Satsang* é uma palavra sânscrita que significa "encontro com a Verdade". Ao encontrar um mestre ou um professor espiritual, de certa forma encontramos com a Verdade. *Satsang* é uma experiência de comunhão com o Divino. Nesses encontros geralmente ocorre uma palestra, com perguntas e respostas, às vezes meditação e, ao final, cantos devocionais.

mesmo pode ser vergonhoso e condenável. E, de fato, na maior parte das vezes, desviamos nossa atenção e negamos essas lembranças traumáticas. Mas para quem está realmente buscando a verdade, ter acesso a uma memória como essa é uma verdadeira bênção, porque isso abre as portas para algo realmente novo na vida, um caminho de cura. No caso dessa pessoa, tal memória permitiu que ela acessasse o que estava por traz da máscara da vítima. Dessa forma, ela pôde rever a cena traumática por outro ângulo, revivendo os sentimentos negados, e com isso ela encontrou a chave para a sua cura, a chave para o perdão.

Mas cada caso tem sua particularidade, e não quer dizer que a pessoa que cometeu o abuso não tenha tido sua própria responsabilidade e que não mereça uma punição. Estou usando esse exemplo para mostrar que, se você realmente foca sua mente na busca da cura, ela acontece, não importam os caminhos que a mente precisa percorrer para isso. Se a experiência que ela teve foi real ou não, não importa; o que importa é que essa foi a forma que a alma encontrou para elaborar os conteúdos e encontrar o caminho da cura.

Mas você não deve se forçar a encontrar essa chave e a sentir a dor do impacto. Não devemos forçar o processo de cura. O que podemos fazer é dar alguns comandos para a mente e aguardar até que ela se abra para isso. A atitude saudável é parecida com a do agricultor que planta e rega uma semente. Ele acompanha seu desenvolvimento, mas não fica o tempo todo esperando ela brotar. Devemos focar a mente na direção daquilo que queremos desvendar, mas sem obsessão, com calma e tranquilidade, um passo de cada vez. Quando uma memória ou *insight* surgir, simplesmente o observamos por um tempo. Não precisamos questionar se é falso ou real, pois isso não importa. Essas são formas que a alma encontra para ressignificar a história do passado. Se o *insight* nos traz calma e conforto, é bem provável que seja verdadeiro. Esse é o caminho.

É possível que um *insight* seja apenas um capítulo da cura. Pode ser uma camada a ser removida. O que vai realmente determinar se o processo de cura se concluiu é o resultado disso na própria vida. Se ainda houver dor para ser integrada, cedo ou tarde, vamos nos deparar com outras repetições negativas, com a angústia de vê-las novamente frustradas e com a insatisfação de não ter nossas necessidades atendidas. Se você está comprometido com a verdade, não é possível se enganar. E como sempre repito:o principal instrumento de aferição é o relacionamento. Todos os tipos de relacionamentos servem como indicadores, mas o relacionamento afetivo-sexual mostra com mais clareza onde estamos, justamente, porque envolve a sexualidade, esse aspecto da consciência humana que busca retornar à unidade.

Nesse processo, porém, é preciso estar atento para as diversas armadilhas da mente. Memórias como a dessa pessoa podem ativar outro mecanismo de defesa: a culpa. Sentir atração sexual pelo pai ou pelo avô é perfeitamente natural para uma criança que está apenas desabrochando, aprendendo sobre seus sentimentos. No mundo dos adultos, porém, isso é visto como algo condenável. Porém um adulto sentir atração por uma criança e dar vasão a isso através do abuso, isso sim, é grave. Mas ao tomar consciência de sentimentos como esses, vividos na nossa infância, é preciso tomar cuidado para não julgá-los com nossa mente adulta, contaminada pelo medo e pelo ódio. Porque, dessa forma, estaremos nos aprisionando na culpa. Se quando adultos não estivermos suficientemente maduros para acolher a criança que fomos, a cura não será possível. É como estar com a chave na mão e não poder colocá-la na fechadura.

B - Identifique seu prazer no desprazer

Como já falamos anteriormente, é importante notar as situações em que, intimamente, temos prazer ao presenciar ou provocar a dor ou sofrimento, em nós ou nos outros. Trata-se de uma distorção muito comum. Todos nós já a experimentamos.

A percepção desse prazer no desprazer abre uma fenda na consciência pela qual podemos reconverter a energia vital distorcida. Enquanto não houver consciência de que existe prazer em odiar e ser odiado, não conseguiremos, de maneira alguma, nos libertar desse ódio e de todas as suas consequências. Como vimos, essa distorção ocorreu exatamente no momento em que fomos impedidos de sermos nós mesmos, quando a energia vital foi impedida de seguir seu fluxo natural. Assim, nasceu o prazer negativamente orientado.

C - Tome consciência das suas fantasias ou tendências sexuais

As fantasias sexuais nos dão pistas muito claras de como ocorreu o bloqueio da energia vital. Já sabemos que boa parte da angústia que vivemos e das frustrações que experimentamos por conta das situações destrutivas que se repetem na nossa vida têm base na repressão sexual. Isso gera uma fixação, uma espécie de obsessão com aquele tema, que muito comumente se manifesta na forma das fantasias sexuais. Eu sei que é difícil encarar de frente as fantasias e tendências sexuais e estudá-las a fundo, por conta da culpa e da vergonha que geralmente as envolve. Mas elas servem como pistas valiosas para encontrar a solução de todos os tipos de problemas que se repetem na vida e que aparentemente não têm nada a ver com sexualidade.

Não importa se o problema é financeiro, profissional, ou de saúde. Se existe uma repetição negativa, isso significa que há uma fixação sexual da psique em algum ponto que você precisa tomar consciência. As fantasias sexuais oferecem dicas de onde a energia vital foi bloqueada no passado e de como isso está gerando a repetição negativa hoje, ou seja, elas ajudam a fazer o *link* entre a causa (o que provocou o bloqueio naquele momento) e o efeito (as repetições negativas). Elas funcionam como uma seta ou sinal que indica onde a mente está fixada, o que pode ajudar a localizar a imagem gerada pelo trauma da cisão. Essa chave é fundamental para que a energia possa voltar a circular normalmente.

Então, permita que as fantasias venham para a sua consciência. Aceite e acolha sem julgar ou se opor. Isso possibilita a transformação.

Para te ajudar a entender melhor como funciona esse processo da busca da imagem através das fantasias sexuais, alguns exemplos podem ser úteis. Conheci um rapaz que estava tendo sérios problemas profissionais. Ele não conseguia se encaixar nos cargos para que era selecionado. Apesar de ter um grande talento e potencial para obter sucesso profissional, de alguma forma, ele sempre acabava se boicotando e perdendo boas oportunidades. Durante a investigação sobre a causa desses sucessivos fracassos, ele relatou ter a fantasia de bater na mulher enquanto transava com ela. Na verdade, ele só conseguia sentir prazer dessa forma. Então, ao estudar essa fantasia, procurando relacionar com situações da sua infância, ele pôde ver a dimensão da raiva que ele sentia da sua mãe. Ele guardava uma profunda sensação de impotência que fazia com que ele não se sentisse capaz de ter sucesso na vida, ou seja, ele acessou uma imagem inconsciente relacionada à sua mãe, na qual ele se sentia inferior e impotente. Isso fazia com que ele projetasse essa imagem em todas as mulheres e quisesse se vingar e subjugar todas elas. Ao acessar a imagem, ela, automaticamente, começa a se dissolver. Então, aos poucos, as crenças relacionadas a ela também são dissolvidas. No caso desse rapaz, isso significou resgatar a autoconfiança e se harmonizar com a mãe.

As fantasias sexuais sempre revelam aspectos da consciência que ainda não foram devidamente integrados. Outro exemplo é o de um homem que atendi que tinha a fantasia de transar com duas mulheres ao mesmo tempo. Chegamos à conclusão de que, na verdade, o que ele queria com isso era harmonizar os papéis das duas mulheres que o criaram: a mãe e a tia. Elas o disputavam e ele guardava culpa e confusão por conta dessa disputa. Em outro caso, uma mulher fantasiava fazer sexo com um desconhecido, homem ou mulher. Descobrimos juntos que o sexo em si era somente um símbolo. O que ela buscava era a liberdade de ir e vir, de ser ela mesma. Investigando sua vida, ela teve consciência de que foi reprimida severa e violentamente, o que gerou uma imagem, em sua própria consciência, de que ela precisava ser contida, que é perigoso se expressar. Daí a permissividade, a ausência completa de contenção de sua fantasia.

CAPÍTULO 2

FAMÍLIA

Os exemplos citados no capítulo anterior têm algo em comum: todos tocam nas relações com nossos pais. Não é por acaso. Já vimos que os sentimentos negados e a culpa são venenos que sabotam qualquer possibilidade de felicidade. E não é possível falar de cura desses sentimentos sem falar de família, sem se libertar do passado.

No momento presente, não há sofrimento, só alegria. Se existe qualquer tipo de problema em nossa vida, isso significa que, na verdade, nossa mente está presa ao passado. E somente o amor nos liberta do passado. Mas como amar quem não nos amou? Ou amou, mas não do jeito que queríamos? A libertação ocorre através do perdão e da gratidão. E isso somente é possível quando aceitamos e compreendemos, quando nos movemos em direção àquilo que ainda não aceitamos em nossas relações familiares, em especial com nossa mãe e com nosso pai.

A reconversão da distorção da energia vital passa pela harmonização com o pai e com a mãe. Dentro desse jogo do qual escolhemos fazer parte neste plano, eles são peças fundamentais — eles são verdadeiros portais de estruturação da consciência humana.

A entrada do espírito no corpo é um grande desafio, porque ele sente a limitação da matéria. A expressão do espírito é ilimitada, mas o corpo tem limites. Por isso nos primeiros estágios da construção do ego, a entidade recém-encarnada no corpo deseja controlar o mundo. E como ela tenta fazer isso? Controlando a mãe, pois para a criança, a mãe é o mundo. É a mãe que dá o leite. A criança tenta dominar o amor através do leite. Ela tenta dominar o mundo se esforçando para receber amor através do leite e, se esse amor não vem, ela chora, grita e sofre. Então, aos poucos, ela vai percebendo que não consegue dominar o mundo, que não consegue dominar a mãe, e desenvolve um sentimento de impotência. Esse sentimento acaba se transformando em inadequação, insegurança e sentimento de não pertencimento. Isso tudo faz parte da formação do ego e da personalidade do ser humano. Esse processo ocorre com todos nós.

Com o passar do tempo, somos desafiados a ativar outros núcleos do ego e da personalidade. Então, começamos a conquistar segurança e a sentirmos que pertencemos. Isso ocorre se nossa mente não ficar completamente fixada na ausência da mãe. Porque, se assim for, carregaremos essa sensação de impotência, que é de onde nasce a inveja, o ciúme, a falta de autoconfiança etc. Em outras palavras, é de onde nasce a falta de mãe dentro de nós.

A mãe, portanto, é o primeiro portal de estruturação da consciência. O segundo portal é o pai, pois ele é reconhecido mais tarde. O terceiro portal é Deus, que, geralmente, é uma projeção dos pais, uma representação mental. Esses são os três portais que estruturam a consciência, por meio dos quais podemos descobrir nossa verdadeira identidade, que é divina. O sagrado feminino, o sagrado masculino e a força neutra que equilibra os dois. Estamos falando do negativo, do positivo e do neutro que são expressões da natureza. Isso é física. Quando esse triângulo é construído perfeitamente, ou seja, quando você se harmoniza com essas três forças, a purificação se completa e você pode se tornar um canal puro da expressão da consciência divina.

Portanto, todo o trabalho de cura se inicia com uma investigação sobre como está a relação com a sua mãe, pois ela é o portal número um — ela foi o veículo que o trouxe para esse planeta. A relação com a mãe é um instrumento de aferição tão preciso quanto a sexualidade.

Depois do portal da mãe, o portal do pai vai sendo acordado aos poucos, de acordo com o desenvolvimento do ego. Porém se você sente ou deduz, pelos sintomas na sua vida, que o portal mais desarmonizado é o do pai, é possível iniciar esse trabalho de cura por ele, pois um portal conduz ao outro e vice-versa. Mas independentemente de qual portal você esteja precisando trabalhar, o remédio é o mesmo: perdão e gratidão. Para isso, é preciso compreender exaustivamente a sua relação com essas figuras que fizeram parte da sua formação e liberar os sentimentos negados que sustentam a identificação com a criança que acredita não ter sido amada na infância.

O PROCESSO DE CURA

Comece observando se o amor está fluindo fartamente na direção dessa manifestação do sagrado feminino, que é a sua mãe. Você pode também aproveitar para ver se o amor está fluindo na direção das mulheres que estão à sua volta e que representam desdobramentos desse feminino. Se você é uma mulher, observe se pode amar a si mesma. Veja se pode expressar as qualidades do feminino ou se está se condenando e destruindo o feminino fora de você.

O processo de cura ocorre a partir do filho para mãe. Mas é claro que muitas filhas também são mães. Quando elas podem fazer esse resgate da mãe dentro delas, acabam ajudando seus filhos, reparando seus erros e pedindo perdão.

Cada lágrima não derramada e cada protesto não enunciado é uma barreira. Há que se ter disposição de liberar esses conteúdos reprimidos do seu sistema, até que você possa crescer em compreensão e saber por que nasceu através dessa mãe e desse pai. Até que possa compreender o histórico da sua alma e obter clareza sobre o seu *karma* e, consequentemente, sobre o seu *dharma*.

Muitos já conhecem esses conceitos de *karma* e *dharma*, mas vale explicar. Eles são utilizados por diversas tradições do Oriente e se referem a leis espirituais. *Karma*, literalmente, significa "ação" e se refere à lei de ação e reação, ou seja, para toda ação existe uma reação. *Dharmas* se refere à conduta que respeita e segue a lei natural das coisas, que está em harmonia com o cosmos. Quando nos alinhamos com o *dharma*, estamos nos alinhando com o nosso propósito na Terra.

Nós nascemos em determinada família para purificar nosso *karma*, e essa purificação é o que possibilita que nos alinhemos com o nosso *dharma*, o propósito de nossa alma. Quando essa clareza chega, perdoamos e agradecemos. Mas para isso, precisamos ter essa coragem de olhar nos olhos dos pais e nos permitir sentir. Enquanto estamos inconscientemente identificados com a criança ferida, ou seja, a criança que não se sentiu amada, os pais são uma ameaça para nós. Com isso, desperdiçamos a vida reeditando as feridas infantis, o que significa que continuamos repetindo a miséria da infância nos nossos relacionamentos. Inconscientemente, alimentamos uma esperança mágica de que as coisas sejam diferentes dessa vez. Mas sem consciência, esse processo só leva a novas e retumbantes frustrações, e chegamos a achar que não merecemos ser felizes, que avida é mesmo um grande inferno — e nesse estágio, ela realmente é. Essa é a grande ilusão: enxergar esse mundo como um inferno.

Mas eu afirmo que é possível viver o céu aqui na Terra, nesse corpo. Isso é uma questão de consciência. Se pudermos expandir a consciência a ponto de não nos identificarmos com o que é transitório, experimentamos o céu na Terra mesmo que a situação ao nosso redor seja infernal. Para chegar a esse ponto, precisamos estar com o sistema purificado, o que significa estarmos livre dos pactos de vingança que sustentamos, primeiramente contra a mãe, depois contra o pai e, então, contra irmãos, tios, avós e todos aqueles que acreditamos que nos impediram de sermos nós mesmos, aqueles a quem acusamos de terem bloqueado o fluxo da nossa energia vital.

Não é possível abrir o terceiro portal — Deus — sem que os dois primeiros estejam harmonizados. Esse é o caminho. Quando pudermos renunciar aos pactos de vingança e ao jogo de acusação, quando pudermos ter empatia e nos colocar no lugar dos que nos feriram, para compreender suas motivações, estaremos prontos para renascer no espírito e ver que a Mãe está na Lua, no rio, nas flores, nas pedras, em toda a natureza e dentro de nós.

Mas devemos prestar atenção para não cairmos na armadilha da culpa. Não se cobre por não ter essa gratidão. Não se condene por sentir raiva. Mais vale uma raiva verdadeira do que um sorriso falso. Nunca se esqueça disso. Somente a verdade liberta, a verdade em todas as suas manifestações. Assim, vamos aprendendo a sustentar a consciência no momento presente e fazendo com que a mente se torne equânime. Somente assim poderemos resgatar a nossa linguagem esquecida, a linguagem do êxtase.

PRÁTICA PARA ABRIR O PORTAL DA MÃE

Este exercício é um convite para examinarmos como está de verdade a nossa relação com a mãe. Será necessária muita honestidade, pois é um convite para retirar as máscaras e abrir espaço para sentimentos verdadeiros, tanto positivos quanto negativos.

Simples e poderosa, esta prática costuma gerar resistência, porque leva a espaços internos carregados de memórias antigas.

Mas é um trabalho necessário, porque a felicidade plena só ocorre se você já tiver purificado suas dores.

- **Reserve um tempo para você**

Um trabalho como esse pode ser muito profundo e intenso. Por isso peço que você se recolha durante o processo. Programe-se para evitar distrações e conversas desnecessárias pelas próximas 24 horas, para não desperdiçar a energia que pode ser usada em sua cura.

- **Contate sua mãe dentro de você**

De olhos fechados, respire suave e profundamente e deixe a imagem da sua mãe vir à sua mente. Se não vier nenhuma imagem, sintonize-se com a energia dela e identifique o que sente.

- **Cheque seus sentimentos com relação a ela**

Seu coração está aberto para ela? Você sente que pode fazer uma reverência em agradecimento por ela tê-lo trazido para esse planeta?

Verifique se sua reverência e sua gratidão vibram no seu corpo ou se está no plano da máscara. Veja se é apenas uma expressão da máscara do bom menino.

Pergunte-se com sinceridade: tenho vergonha dessa mulher? Gostaria que ela fosse diferente? Guardo mágoas em relação a ela? Tenho raiva dela? Como ela me tratou quando criança? Ela esteve sempre presente? Ela me acolheu, protegeu, deu carinho e amor?

- **Tome cuidado com a máscara**

Não sentir nada pode ser sinal de amortecimento, uma proteção para não entrarmos em contato com os verdadeiros sentimentos. Permita-se ir mais fundo, além da "normose", essa manifestação passiva da raiva que nos dá a sensação de que está tudo "normal", quando estamos anestesiados. É preciso ter disposição e coragem para encarar a própria história, mesmo as partes desagradáveis, até que possamos aceitá-la com tranquilidade. Só aceitamos quando podemos encarar e compreender. E para compreender, talvez precisemos liberar sentimentos trancados.

- **Evoque sua mãe**

Repita o mantra "mãe", como se estivesse chamando pela sua mãe, da mesma forma que chamava por ela quando era criança. Se você não lembra como a chamava, simplesmente chame "mãe", "mãezinha". Repita o mantra o quanto puder, durante 24 horas.

- **Apure os sentidos para as respostas e registre-as**

Se emergirem conteúdos internos, sugiro que escreva uma carta simbólica para sua mãe. Nela, você poderá expressar tudo o que nunca teve coragem de falar, colocando para fora aquilo que está realmente engasgado. A carta não deverá ser enviada. Você deverá queimá-la mais tarde. É importante escrever. Um dos truques da mente é pensar: "Eu já posso ver e entender". Mas ao escrever e expressar tudo "por escrito", você ventila uma parte do seu Ser.

- **Aceite o que vier**

Pode acontecer de você focar no portal da mãe e acabar abrindo o portal do pai, o portal do masculino. Se assim for, no exercício que propus, troque o mantra para "pai" e siga os mesmos passos.

UM PROCESSO GRADUAL

Tenho feito esse trabalho de cura das relações familiares por anos, principalmente durante as temporadas na Índia, quando realizamos encontros diários e temos a oportunidade de estar em um "círculo mágico", protegidos pela elevada atmosfera espiritual de Rishikesh (morada dos sábios), aos pés dos Himalaias. Depois do trabalho, muitas pessoas relatam terem acessado núcleos de dor profundamente escondidos. Alguns sentem a necessidade de manter a prática do mantra "mãe" ou "pai" por mais dias, pois constatam o poder dessa prática. Alguns relatam ter aberto verdadeiros portais espirituais. Muitos vão para os sétimos céus, outros para os infernos quintos, mas todos acabam sempre recebendo alguma compreensão e são tocados pela gratidão.

Porém trata-se de um processo gradual, com muitas idas e vindas. O trabalho de purificação e transformação requer tempo, determinação, muita paciência, humildade e compaixão, até encontrarmos o caminho. É fundamental estarmos constantemente renovando nossos votos, sabendo que, de vez em quando, vamos cair. Se mantivermos a prática, cada subida será mais alta, cada queda será menos profunda. Até que possamos levantar e seguir em frente sem cairmos no mesmo buraco novamente. O processo de crescimento e amadurecimento da criança ferida não ocorre de uma hora para outra; ele se dá de forma orgânica e natural.

Aqueles que realizam essa prática esperando que a cura seja instantânea acabam caindo na armadilha do *eu* idealizado, esse tirano cruel que te habita e sempre exige a perfeição. Ele exige que você não tenha mais mágoas, ressentimentos ou qualquer tipo de dor no seu sistema. Muitas vezes, sentimos que conseguimos dar um passo e chegamos a sentir a alegria dessa conquista, mas quando menos esperamos, nos vemos novamente envoltos por uma nuvem escura e temos a sensação de que a guiança espiritual não está mais presente. Ficamos tensos e nos sentimos novamente sozinhos, separados, isolados, porque não podemos perceber a presença espiritual. Sempre que isso ocorre, nossa consciência rebaixa e acabamos repetindo os mesmos padrões e hábitos dos quais, aparentemente, havíamos nos libertado. Isso gera a sensação de que não melhoramos em nada.

Isso não é verdade. Fique atento para essa armadilha. Tendemos a prestar mais atenção nos defeitos e a olhar primeiramente para aquilo que está faltando, não para o que já conquistamos. É preciso dar um passo de cada vez e comemorar cada conquista. Só assim poderemos ter disposição para dar o próximo passo. A cura não ocorre de uma vez, não é um relâmpago, mas uma estação inteira, com chuvas e estiagens.

Se, de um lado, é importante reconhecer nosso progresso, de outro, devemos estar atentos para não nos imaginarmos que uma etapa equivale ao caminho todo. Essa é outra armadilha do ego. Devemos estar conscientes de que a purificação se completa apenas quando conseguimos amar e nos doar desinteressadamente; quando podemos perdoar, agradecer e enxergar Deus em todos, principalmente nas pessoas que compõem a nossa constelação familiar; quando nossa compreensão é iluminada e aceitamos o jogo. Nesse momento, estamos prontos para cortar o cordão umbilical.

O VERDADEIRO SIGNIFICADO DA MATERNIDADE

Quero agora fazer um *link* entre a carência afetiva e a maternidade, pois percebo que nossa sociedade precisa ter uma melhor compreensão sobre o verdadeiro significado dessa iniciação espiritual que é ser mãe. Mas, antes, vamos recapitular sobre o tema da carência.

Em maior ou menor medida, todos nós, em algum momento da infância, nos confrontamos com o sentimento de que não estamos sendo amados, ou de que fomos abandonados, rejeitados, excluídos ou humilhados. Todos nós sentimos falta da mãe e desejamos o amor exclusivo dela. Porém nem mesmo uma mãe muito amorosa e consciente pode suprir a necessidade de amor exclusivo que a criança exige. Nasce, então, uma carência, um buraco em nós. Isso faz parte do processo natural de estruturação do ego. O caminho natural da alma humana é amar desinteressadamente e tornar-se o próprio amor, mas no seu estado embrionário, ela experimenta justamente o oposto disso: o desejo de receber amor exclusivo. Quanto mais novinha a criança, mais exclusividade de amor ela precisa. Logo que o bebezinho nasce, ele precisa de total atenção. E conforme ele vai crescendo, essa necessidade vai diminuindo. Constatamos, então, que a carência tem sempre alguma coisa a ver com a mãe, apesar de o pai também ter seu papel no jogo.

Em algum momento você já questionou por que as pessoas querem ter filhos? Já notou a existência de uma programação social que nos conduz a casar e, automaticamente, ter filhos? Você já se perguntou se isso realmente faz sentido? Eu percebo essa questão como fonte de angústia para muitas mulheres e para muitos homens também. Em primeiro lugar, se faz necessário descobrir quem em você deseja ter um filho. Vamos compreender melhor essa questão.

Toda alma carrega um programa equivalente ao *dharma*, o caminho que conduz à união com o todo, à felicidade suprema, à iluminação. Algumas vezes, está de acordo com esse programa dar à luz a um filho, porque, para chegar à plenitude do que precisa ser atingido nesta vida, é necessário dissolver *karmas* específicos que serão ativados somente através do nascimento de um filho. E muitas vezes, certos elos do *dharma* são encontrados apenas dentro desse *karma*. Portanto, determinadas almas carregam esse desígnio, esse programa.

Às vezes, ser mãe faz parte de um verdadeiro comando espiritual, um comando do coração. Porém ainda é muito raro que uma mãe tenha consciência da maternidade como uma iniciação espiritual. É muito raro encontrar casais que estão nessa frequência. O mais comum é que os casais tragam filhos para o mundo apenas para responder a uma programação social e cultural, para atender às necessidades da própria criança ferida, para aliviar a carência. Na maioria das vezes, os filhos são gerados de forma inesperada, sem planejamento ou escolha consciente e, mesmo quando existe uma escolha, a decisão é fruto do medo da escassez, do medo da solidão. Ainda é muito comum os pais trazerem os filhos sem estarem desejando por eles ou, quando os desejam, essa vontade atende somente a necessidade de se realizar através deles. É a "síndrome de Walt Disney": a esperança mágica de que o relacionamento e a família trarão felicidade eterna. Trata-se de uma crença de que a sua felicidade somente é possível através do outro, então, você acredita que vai encontrar o príncipe encantado ou a princesa encantada e será feliz para sempre.

O *karma* é uma lei inexorável — ele se cumpre. Mas ele é uma dívida de aprendizado, não de sofrimento. Ou seja, tais padrões vão se repetir até que a entidade aprenda o que tem que ser aprendido, o que não significa que tenha que sofrer no processo, embora isso ocorra quase sempre. O mesmo vale para o *karma* coletivo de uma sociedade. Quando a sociedade compreender o equívoco que é colocar crianças no mundo de maneira tão inconsequente, essa compreensão vai quebrar esse ciclo karmico que faz com que procriemos ignorância.

No meio disso, existe uma dúvida específica do universo feminino: como mulher, para completar a maturidade, é preciso ter um filho? Não necessariamente. Essa é uma programação social que está com os tempos contados, ela já está caducando. Eu vejo muitos carregarem essa angústia, mas se puderem ser realmente honestos consigo mesmos, encontrarão por trás dessa questão a necessidade de agradar alguém. Quando ocorre um comando superior para ter um filho, você não quer agradar ninguém, muito pelo contrário, às vezes até desagrada. Algumas mulheres têm essa incumbência karmica e dharmica de dar passagem para um Ser. Outras vão usar esse poder de outra maneira, vão usar seus aparelhos de outra maneira, como canalizando sua energia para a criatividade divina. Essa também é uma forma de dar à luz a muitos "filhos".

Muitas vezes, eu falo brincando sobre a síndrome de Walt Disney, mas é algo muito sério. Tenho visto muitos buscadores espirituais comprometidos em encontrar um parceiro e ter filhos, acreditando que através deles encontrarão felicidade duradoura. Essa é uma programação social que vem de geração após geração. Muitos sentem que um elo está se quebrando dentro de si quando não podem corresponder à expectativa dos seus ancestrais e da sociedade. Além disso, também existe uma frustração por não estar podendo realizar seus próprios sonhos, já que fomos programados para acreditar que através da família encontraremos a fonte da felicidade.

Mas isso é um equívoco. Trata-se de um programa instalado nos corpos emocional e mental. Sinto que é preciso romper com esse programa, com essa necessidade de agradar. É fundamental que você possa ouvir o seu coração. Qual é o programa da sua alma? Você veio aqui por quê? Para quê? Eu sinto que, se todos pudessem, de fato, seguir o caminho do coração e ouvir a voz do Supremo que habita cada um de nós, certamente, o número de crianças encarnadas iria diminuir muito.

Quem em você quer ter um filho? O egoísmo? O medo da escassez? O medo da solidão? Talvez você possa concordar que é injusto trazer um Ser para este planeta somente porque você quer alguém para cuidar de você. Dessa forma, você está alimentando os *karmas* que, de geração em geração, se fortalecem. Você está jogando contra si mesmo e dificultando a própria liberação.

Eu sei que parece tremendamente desolador envelhecer sozinho. Todos nós envelhecemos e alguns adoecem. Conseguiremos evitar isso tendo um filho? Não. Vamos minimizar nosso sofrimento porque alguém vai cuidar de nós e nos dar comidinha na boca quando estivermos velhos? Tudo isso é tão relativo. Tenho visto filhos querendo jogar os pais num asilo, sentindo uma raiva horrenda por conta de como foram tratados. Vejo gente torcendo para que pai e mãe morram, para que se livrem do problema que é sua velhice. Não nos iludamos. Por que e para que ter um filho? Só quem tem a resposta para essa pergunta é o coração.

Se você já trouxe um filho para este plano, você será exigido. Existe uma responsabilidade — você criou um *karma* e não há como fugir dele: a fatura já foi emitida. Tenha calma. Não é caso para desespero ou arrependimento. Mesmo que tenha sido um ato inconsciente, ele também lhe serve, pois lhe dá uma grande oportunidade de romper com o ciclo karmico. E a única forma de fazer isso é amando incondicionalmente, porque o seu filho vai exigir exatamente isso de você.

A maternidade (ou paternidade) é uma iniciação espiritual para testar o seu amor, o seu altruísmo, até o limite. E estando muito identificado com a criança ferida, com a carência, possivelmente, essa prova será muito difícil. Em meio ao imenso amor que sente e manifesta pelos filhos, haverá momentos em que você será tomado pela raiva, e sentirá culpa por isso. A criança sente o seu amor, mas também sente a sua raiva. Então, ela fica com raiva por sentir que você não está aberto como ela gostaria. E também sente culpa, por ter raiva de quem ela deveria amar. E assim o círculo vicioso se perpetua.

RESSIGNIFICANDO O NASCIMENTO

Esse círculo vicioso precisa ser rompido, e o único poder capaz de fazer isso é o amor. Mas para poder abrir o coração, há que se compreender todo o drama, toda a história. Há que se perdoar. Muitas vezes, é preciso atravessar uma muralha de orgulho e vaidade. Tanto pais quanto filhos criaram muitos sistemas de defesa para excluírem uns aos outros. Para sobreviver com tanta raiva e culpa, ambos aprendem a anestesiar esses sentimentos e acabam criando uma indiferença, que é uma forma passiva de ódio. E a raiz desse ódio é a culpa por não terem feito a sua parte no jogo.

A chave para nos libertarmos disso é aceitarmos que não pudemos fazer nossa parte, mesmo. Essa aceitação requer muita humildade. É preciso ter a disposição de assumir que talvez tenhamos errado. O ser humano é imperfeito. Estando encarnado aqui, erramos. O principal obstáculo para a libertação é a negação da imperfeição. Temos vergonha de nossas imperfeições, mas há que se ter disposição de aceitá-las para poder derrubar os muros que nos aprisionam, para abrir o coração. Somente assim será possível sair da construção que criamos para nos proteger, essa máscara.

É verdade que a escolha de ter um filho também faz parte de um impulso evolutivo. O poder que gera esse impulso é o *karma*. Essa é a lei que cria o encontro e ativa esse instinto, esse desejo de fusão. Como já vimos, dentro do ser humano existe um profundo anseio pela unidade. A força erótica é um tremendo poder de fusão. Queremos experimentar a união. O programa da força erótica é conduzir-nos para a experiência do amor. Por isso existe esse tremendo impulso de fusão que gera o desejo de procriar. Porque estando envolvido pela força erótica, temos um vislumbre da unidade, um vislumbre do paraíso. E tudo que queremos é ficar lá. Louvadas sejam as crianças que nascem desse encontro de amor, pois são crianças amadas e queridas. Isso facilita muito.

Se olharmos com bastante atenção e objetividade para as pessoas que mais sofrem nesse mundo, encontraremos ali o desamor na hora da concepção. E as pessoas mais felizes são aquelas que tiveram amor na concepção. Isso pode ser ressignificado e transformado através do processo de evolução da consciência. Pode parecer estranho dizer que uma pessoa nasce do desamor, porque se o casal estava namorando, é porque deveria ter amor, mas não é sempre assim. Sabemos que as aparências enganam. Parece que é amor, mas é luxúria, desejo de dominar o outro, desejo de humilhação, submissão, perversão, entre várias outras coisas. Mas mesmo que a criança tenha nascido do ódio, conforme vai amadurecendo e evoluindo no processo de cura, ela pode ressignificar seu nascimento. Ela pode ir além da personalidade dos pais e ver o aspecto divino neles. Com isso, ela também se enxerga como um fruto do Divino.

Tudo se resume ao amor. Nós estamos aqui em busca do amor. Esse é o elemento alquímico que nos liberta de todo o sofrimento. É um tesouro que está dentro do nosso coração. Vamos continuar nosso garimpo.

CAPÍTULO 3

EU E O OUTRO

Já examinamos como o nosso desenvolvimento, nossas próprias dores e máscaras afetam os relacionamentos. Também já pudemos iluminar a influência dos nossos pais em nossa vida e relações. A esta altura desse estudo sobre o Novo Casamento, é hora de incluirmos o outro, o parceiro, em nosso campo de atenção. Nesse sentido, eu diria que as primeiras questões a serem examinadas, as mais importantes, são as seguintes: quem em você está se relacionando com o outro? Por quê? Para quê? Essas perguntas levantam questões importantes para as quais não damos a devida importância. Porque embora o relacionamento seja a universidade da vida, existem alguns que querem continuar eternamente na universidade, mesmo que a vida esteja sinalizando que o curso terminou, ou está terminando. Eu estou me referindo à codependência, um vício muito comum nos relacionamentos. Quando estamos apegados a um relacionamento que já não promove o nosso crescimento, isso significa que estamos presos ao vício da codependência.

As pessoas encontram muitas razões para permanecerem presas num relacionamento doentio. Por exemplo, se o casal tem uma moral religiosa muito forte, muitas vezes, os parceiros acabam ficando juntos pelo medo de desagradar a família, o padre ou Deus. Eles têm medo das consequências, afinal, se casaram para a vida toda e têm que ficar juntos até que a morte os separe. Então, eles permanecem na relação por medo, porém fechados, esperando a morte chegar e trazer a solução para o problema.

É possível que o seu *karma* determine que você fique com essa pessoa por toda a vida, e não há nada de errado com isso. O engano está em acreditar que dependemos do outro para encontrar a felicidade e a paz duradoura. Felicidade implica liberdade. Liberdade implica abrir mão de qualquer tipo de codependência. Em algum momento, você vai ter que usar a espada da vontade para se livrar desse vício.

Até porque essa felicidade que procuramos não se encontra no relacionamento. Por mais importante que seja o relacionamento com o outro, ele é somente uma passagem. Em algum momento da nossa jornada, teremos que aprender a ficar sozinhos. O relacionamento com o outro, mesmo o mais maduro e perfeito, é somente um portal para um tipo de conhecimento que nos permite enxergar a verdade. Tenho observado que a razão do sofrimento das pessoas, em 90% dos casos, são os dramas de relacionamento. E vejo que a principal causa é a crença de que dependemos do outro para encontrar a felicidade. Mas isso não é real. A felicidade está no encontro com Deus. Se estivermos comprometidos a evoluirmos na relação, não com os jogos e distrações do ego, podemos até ter momentos felizes com o outro, podemos até aprender o caminho que nos leva à felicidade duradoura, porque o Novo Casamento pode nos dar vislumbres disso.

Mas serão somente vislumbres. Durante essa etapa, aprendemos através do outro, crescemos por meio dessa troca, porque o outro serve como espelho para nosso autoconhecimento. Mas chega um momento em que somente a solidão pode atuar como espelho. Ela é como um espelho com lente de aumento: começamos a nos ver com muita nitidez. Começamos a ver tudo aquilo que não nos pertence e tudo isso começa a se dissolver.

A maior parte das pessoas reage com medo a esse encontro com a solidão. Tememos a loucura e a perda das referências e tentamos fugir. Sentimos um grande impulso para ver televisão, ler revistas, fazer compras, encontrar os amigos, ver pornografia ou... entrar novamente em um relacionamento, como uma rota de fuga. Tudo isso porque o contato com a solidão significa a morte de nossa falsa identidade. Por isso tentamos fugir dessa morte, que ao mesmo tempo é um renascimento. Porque para renascer, uma parte de você tem que morrer. Essa passagem é inevitável, pois a verdadeira felicidade se encontra em Deus — o seu coração. O outro é somente um veículo, uma seta para que você possa se voltar para o seu coração.

Essa armadilha pode nos manter presos por muito tempo. Porém tenho visto muitos amigos ainda viciados nessa codependência, o que irremediavelmente os lança ao sofrimento. Em algum momento, dentro desse estudo do relacionamento, eles se perderam. Ficaram identificados com algum aspecto da sua criança ferida, projetando os próprios pais no outro, sem nenhuma consciência disso. E, assim, desperdiçam a vida tentando transformar o parceiro, para fazer dele aquilo que acreditam que ele tem que ser. Mas isso também não é possível.

Um relacionamento baseado na codependência pode ser comparado a um comércio. Há uma constante negociação por atenção, consideração, carinho, respeito, ou seja, amor. No fundo, o que estamos querendo é amor, e o preço que pagamos nessa negociação é a nossa liberdade. Mas amor verdadeiro não é forçado; é de graça. Se você ama de verdade, você não pede nada em troca. Se você negocia amor é justamente porque é incapaz de amar. Funciona assim: "é atenção que você quer? Eu te dou atenção, mas você vai ter que fazer exatamente o que eu quero, e como eu quero". Esse é um jogo nefasto, cujo objetivo é fazer do outro um escravo para atender às nossas necessidades e expectativas. Codependência implica depender da miséria do outro para se sentir feliz. Dessa forma, os parceiros seguem tirando energia um do outro e reforçando a falsa ideia de eu. Eles pagam esse preço exorbitante, que é a perda da liberdade, porque estão completamente dependentes, e o pior é que ainda chamam isso de amor.

Uma das formas de perpetuar a codependência é o jogo de acusações, pois ele desperta culpa no outro. Quando fazemos o outro sentir-se culpado pela nossa incapacidade de amar, fazemos mal de verdade. Recebemos uma satisfação momentânea, pois somos invadidos por uma energia e nos sentimos poderosos, mas o peso de fazer o outro sentir-se assim é muito pesado. Quando aponta o dedo para o outro e diz: "você é culpado pela minha miséria!", você faz com que ele entre no inferno para tentar ser amado. E o outro cai nesse inferno justamente por ainda estar identificado com a criança ferida que tem necessidade de amor exclusivo. Alguns fazem qualquer coisa por uma migalha de atenção. Portanto, a carência é o alimento da codependência.

O CAMINHO DO CORAÇÃO

Como ir além dessa necessidade de amor exclusivo? Como ir além da carência afetiva? A resposta está dentro das próprias relações humanas. Precisamos aprender a criar união. Precisamos aprender a cooperar uns com os outros e a dar força para o outro brilhar. Para isso, temos que ir além da ideia do *eu* e do *meu*. Temos que ir além do egoísmo. E isso somente é possível quando podemos ouvir a voz do coração.

O que o seu coração está pedindo? O que a sua alma está pedindo nesse atual momento de evolução? A resposta está no encontro entre o Ocidente e Oriente — no caminho do meio, que também podemos chamar de caminho do coração. Aquele que segue o coração não é oriental ou ocidental, não tem uma religião ou uma raça. Ele está além das criações da mente, pois está dando passagem para aquilo que é puro e verdadeiro. Essa pureza vem do coração. Então, o que é que o seu coração está lhe dizendo? Onde o seu coração quer que você esteja? O que sua alma precisa para evoluir?

O caminho não é fazer o que a sociedade nos diz somente para nos sentirmos pertencendo ou para agradar. Mas também não adianta nos rebelarmos contra tudo que nos foi ensinado, tentando provar para o mundo que somos livres, independentes e que fazemos tudo que temos vontade de fazer, porque esse caminho é ainda um produto da carência afetiva e da vingança que nos habita. Qualquer ação com o objetivo de provar algo a alguém, ou a nós mesmos, nasce da carência.

O caminho do coração somente é possível quando estamos ouvindo a voz do coração, que é a voz do nosso Ser superior, a intuição pura. Essa voz é a voz do Divino dentro de nós. A experiência da liberdade ou da unidade somente é possível quando podemos seguir o coração. Mas seguir o coração pode ser perigoso, porque muitas vezes ele vai contra tudo o que a sociedade determina como "correto". Porém eu lhe digo: é preciso ser fiel ao coração. Eu estou lhe convidando a abrir os braços para esse perigo. Eu lhe convido a ser fiel somente ao seu coração, nada mais.

Para iniciar essa aventura e saber distinguir entre a voz do coração e a voz da mente condicionada e viciada, cheia de vontades e necessidades, o autoconhecimento é fundamental. O autoconhecimento deve estar em primeiro lugar. É preciso tomar consciência dos nossos mecanismos de defesa, das nossas carências e maldades. Porque, assim, iniciamos a purificação desses aspectos do nosso sistema. Dessa maneira, poderemos ouvir com mais clareza o que o coração tem a nos dizer. Esse é o caminho que proponho.

A PURIFICAÇÃO DO CORAÇÃO

Por isso dou tanta atenção para o processo de purificação, pois ele é a base para a evolução espiritual. Como podemos levantar um lindo edifício se não temos uma boa fundação? Eu vejo muitos construindo paredes sem alicerces: "vamos praticar o Tantra, ou vamos praticar o *brahmacharya* (celibato)". Como isso é possível, se nosso coração está cheio de ódio e se condenamos o sexo oposto? Então, como remover as capas de ódio que encobrem o coração e impedem que a energia flua naturalmente em direção a ele?

Para abrirmos esse caminho em direção ao coração, precisamos purificar completamente nosso sistema, principalmente os corpos mental e emocional. Assim, poderemos alcançar a união entre o feminino e o masculino, externa e internamente. Para isso, inevitavelmente, teremos que nos libertar do ódio contra o sexo oposto, o que é sinônimo de nos harmonizarmos com a mãe e com o pai dentro de nós. Através dessa purificação, a energia sexual poderá alcançar o coração, ou seja, será possível unir sexo e amor.

E quando a energia sexual encontra o coração, ocorre uma experiência de êxtase muito intensa que aponta a direção do Eterno. É como um rio que se dissolve no oceano. Mas nós tememos essa experiência tão intensa, nós tememos essa dissolução, que é justamente o fim da ideia do *eu*. E, no nível mais profundo, é esse medo de desaparecer e fundir no oceano que nos faz continuar sustentando as camadas que impedem a chegada da energia ao coração.

Então, meu amado, trabalhe para conhecer os cantos mais escondidos e escuros da sua alma. Busque identificar o seu desejo de machucar e de ser dono do outro. Identifique sua vontade de fazer dele um escravo que satisfaz suas exigências e expectativas. Identifique o seu desejo de tirar a liberdade do outro. Por outro lado, identifique sua carência, seu sentimento de impotência, que torna você tão ciumento e possessivo. Identifique a origem do sentimento que faz de você tão inseguro, tirano e cruel e que te aprisiona dentro do ciclo vicioso de dar e receber dor. Identifique esses aspectos e continue a autoinvestigação dos episódios na memória em que você identifica a origem desses padrões de comportamento. Identifique as crenças errôneas que sustentam essas ações. Permita-se entrar no porão dos sentimentos negados que dão sustentação para os comportamentos negativos. Tenha coragem de entrar em contato com eles. Tenha coragem de viver esses sentimentos até que possa se libertar da dor e reconverter a energia distorcida, para realmente poder se unir ao outro. Até que o feminino e o masculino se encontrem e haja mesmo uma manifestação da reciprocidade em que os dois corações estejam abertos, e as duas correntes de aquiescência se encontrem para que a energia sexual chegue ao coração. Como dizia o filósofo Sócrates: "Conhece-te a ti mesmo e conhecerás o Universo". O autoconhecimento é o caminho.

REVELANDO UM CORAÇÃO PURO

Ao removermos as capas que encobrem o coração, ele começa a revelar sua pureza. A purificação do coração é um trabalho árduo, mas a recompensa é infinitamente maior, porque a experiência de ter um coração puro é como viver o céu na Terra.

Um coração puro é um coração que não julga. É um coração que não acusa e não compara. Ele não deseja. Um coração puro aceita e perdoa. Agradece e ama. Ama de forma desinteressada. Um coração puro é aquele que não se identifica — ele só observa. E o fluxo de vida e de amor não é interrompido.

Um coração puro se expressa através de uma mente equânime. Assiste as misérias e as alegrias e não se identifica. É um símbolo que representa o seu eu mais profundo, a nossa verdadeira identidade. Ele está além dos dramas de controle, além da natureza inferior, pois sempre vibra em gratidão. Ele vê o universo como um amigo que está sempre inspirando a evolução. O coração puro está sempre celebrando a vida: o Sol, a Lua, as estrelas, o vento, as flores, o sorriso e tudo aquilo que se expressa através de um ser humano, porque ele compreende que tudo é sagrado. Tudo que se manifesta neste plano são expressões do jogo divino. Assim, um coração puro é livre, pois não se prende a nada.

O que é iluminação se não pureza do coração? Sem um coração puro, não é possível se iluminar, se libertar. Por isso sempre digo para os meus alunos que em vez de colocarem foco na iluminação, foquem no processo de purificação do coração. Se focarmos nessa pureza, nessa humildade, e se pudermos agradecer à vida por tudo que ela dá, aceitando a forma como ela se manifesta para nós, a realização espiritual ou a felicidade duradoura estará próxima.

Esse assunto sempre me faz lembrar uma pequena história que me tocou profundamente e me fez ressignificar o conceito de iluminação. Os que me acompanham já ouviram essa história inúmeras vezes, mas não me canso de contá-la, porque é realmente inspiradora e merece ser compartilhada. Certa vez, quando fui visitar o templo de Shiva Mahadeva, em Nilkant (próximo à Rishikesh), na Índia, presenciei uma bela cena: um peregrino muito singelo subia as escadas em direção ao templo principal para fazer uma oferenda de flores e incenso. Naquele movimento, enquanto já dirigia o olhar para a divindade, ele tropeçou e caiu. Na mesma hora, ele se ajoelhou e fez um *pranam* (reverência) para a escada, tocando a testa no degrau. Eu estava bem próximo assistindo à cena e pude sentir o que se passava dentro dele. Naquele instante, ele compreendeu que Shiva estava levando um *karma* dele através daquele tropeço, por isso ele se rendeu em gratidão. Então, eu senti que uma gratidão e uma humildade como essas são o suficiente. Se o ser humano puder chegar nesse ponto, estarei satisfeito.

LUXÚRIA, A RAINHA DESTE MUNDO

Nesse caminho de purificação dos corpos e de remoção das camadas que impedem a chegada da energia sexual ao coração, o maior obstáculo é o que conhecemos por luxúria. Neste livro, já tocamos um pouco nesse assunto, agora é hora de nos aprofundarmos mais, já que a luxúria é, sem dúvida, a rainha desse mundo. Ela comanda esse plano atuando e se manifestando das mais diversas maneiras, desde as mais grosseiras até as mais sutis.

Comumente, a palavra luxúria é utilizada para falar de um desejo passional ou exagerado pelo ato sexual. Mas quando me refiro à luxúria, estou falando de algo muito mais profundo e sutil, um jogo de poder que pode nos levar à autodestruição. Estou falando da utilização da energia sexual com o objetivo de obter poder sobre o outro, que é quando essa energia é contaminada pelo ódio e pelo medo. É quando a força erótica passa a se mover na direção contrária do amor.

Assim como todas as matrizes do eu inferior, ela está a serviço de manter a identificação com a criança ferida e com seus pactos de vingança. Mas ela está no comando de todas as outras matrizes, juntamente com o medo e a mentira, formando a tríade superior. O orgulho, a ira, a inveja, a avareza, a preguiça e a gula estão submetidos à luxúria.

Os principais filhos da luxúria são a sedução, o ciúme e a posse (somente para citar os mais conhecidos). Muitas vezes, a luxúria atua tão sutilmente que se torna impossível de identificá-la. Em algumas de suas manifestações, a pessoa nem mesmo pensa em sexo, mas isso não significa que a luxúria não esteja atuando.

Perceba como a luxúria pode ser sutil. Quem estiver livre dela, atire a primeira pedra. Porém quem está realmente livre dela jamais atira uma pedra, porque consegue enxergar a dimensão da dor que está por trás desse jogo e sente compaixão. A luxúria bloqueia a capacidade de amar. Independentemente de você estar casado ou escondido em uma caverna, ela poderá estar presente.

Então, para identificar a atuação da luxúria em nossa vida, é preciso reconhecer nossa necessidade de dominar e controlar o outro. É preciso reconhecer o nosso ciúme, mas também nossa necessidade de que o outro sinta ciúme para que possamos nos sentir mais seguros. É necessário admitir que precisamos ver o outro por baixo para nos sentirmos por cima, precisamos encontrar defeitos no outro para sentir que temos alguma virtude.

OS DISFARCES DA LUXÚRIA

Essas são apenas algumas formas de exercer poder sobre o outro e de eternizar o círculo vicioso do sadomasoquismo. A principal característica da luxúria é esse jogo: ora somos o sádico, ora somos o masoquista. Esses papéis se alternam na relação.

Estando no papel do sádico, agredimos o outro com o nosso falso poder, abusamos desse poder ilusório, humilhamos o outro para dominá-lo. O agressivo age como autossuficiente e independente: "eu não preciso de você nem de nada, estou acima dessas bobagens". Dessa forma, ele quer deixar o outro totalmente dependente dele. Em resumo: "tem que ser do meu jeito e na hora que eu quero".

Já no papel de masoquistas, usamos a própria humilhação para obter poder, ou seja, queremos ser humilhados justamente para mostrar o quanto o outro é cruel, o quanto o outro é responsável pela nossa infelicidade. Fingimos ser frágeis e coitados para que o outro faça tudo do jeito que queremos, ou para nos eximirmos da responsabilidade de buscar a própria felicidade. Estando no papel do masoquista, nos colocamos como vítimas indefesas da maldade do outro, sem assumir responsabilidade pela nossa própria miséria.

Perceba que estamos falando de estratégias de dominação. O que queremos, no fundo, é ter nossas expectativas atendidas pelo outro. Alguns fazem isso por meio da agressividade, outros através da submissão, fingindo serem os fraquinhos, mas por trás dessa atitude, há uma perversidade medonha.

Nesse círculo vicioso, existe sempre um tremendo jogo de acusações, no qual a energia de ambos é consumida. Muitas vezes, uma pessoa bonita fica feia porque sua energia é totalmente drenada. As pessoas envelhecem e se tornam pesadas quando tomadas pela luxúria. Estando viciados nessa guerra, vamos nos esquecendo cada vez mais da nossa verdadeira identidade e fortalecendo ainda mais a identificação com a criança ferida que precisa ser reconhecida e considerada. Ela é o principal instrumento de *maya*, a ilusão cósmica.

Um dos principais *eus* da luxúria é o sedutor, aquele que está sempre seduzindo todo mundo para obter atenção. Entenda que não estou falando da sensualidade, que é uma expressão natural da beleza, mas sim de uma distorção dela. A sedução é quando usamos a sensualidade para obter poder sobre o outro. Para muitas pessoas, a sedução se torna tão automática que elas nem percebem que estão atuando. Tomadas pela luxúria, seduzem qualquer pessoa: a mulher, o homem, a empregada, o professor, o jovem, o velho... Para agradar a todos. Muitas vezes, nem mesmo sentimos atração por uma determinada pessoa, mas jogamos nossa energia na direção dela com a intenção de mantê-la sob nosso domínio, pois dessa forma nos sentimos alimentados, temos a ilusão de que somos amados. Com isso, sem saber, estamos sugando a energia do outro. E essa falta de consciência é o principal problema. Mas tenha certeza: em algum momento, esse jogo se volta contra nós mesmos.

Outro disfarce usado pela luxúria, assim como pelo medo e pelo orgulho, é a máscara da serenidade, ou seja, o papel do espiritualizado. O falso sereno se faz de santo como se estivesse acima do outro e de suas coisas mundanas. Muitas vezes, queremos nos dedicar mais às práticas espirituais, praticar austeridades, fazer períodos de celibato, mas a vida nos traz uma paixão, um relacionamento. E esse relacionamento vai servir como um teste, uma bússola que nos indica onde estamos na jornada, pois alguns aspectos da nossa personalidade que precisam ser purificados serão ativados somente por meio da energia sexual. Somente através de uma paixão é possível enxergar aspectos que estavam nos subterrâneos do inconsciente.

Essa experiência pode ser sentida como uma queda, porque ao mesmo tempo em que temos um vislumbre do estado de unidade e de abertura do coração, tomamos consciência da dimensão da nossa miséria, do quanto ainda somos dependentes do outro, do quanto ainda precisamos que ele seja um escravo e do quanto ainda estamos presos nesse jogo. E muitas vezes, tentamos sair da relação, mas não conseguimos, porque estamos sob o encantamento da luxúria.

A única forma de sair do encantamento dessa feiticeira é identificando o *eu* que está encantado. Somente quando você consegue se observar à distância é que começa a ver que isso não é você. Vemos que há outro *eu* dentro de nós criando esse jogo. Às vezes, o encantamento é tão profundo que não conseguimos perceber que estamos tentando recriar a história da nossa infância, inutilmente tentando mudar nosso passado. Mas, não é possível mudar o passado; só é possível ressignificá-lo. Dessa forma, iluminaremos os pontos de medo e ódio do sistema para que a energia vital finalmente alcance o coração. O primeiro passo a ser dado para que o caminho seja aberto e possamos nos harmonizar com essa energia, é olhar de frente para ela. É preciso parar de fugir e estar presente, consciente, dentro dela. Então, compreenderemos quem em nós deseja o outro e o que queremos do outro.

Nesse processo, poderemos identificar muitos *eus* atuando ao mesmo tempo. Alguns odeiam, outros têm medo e alguns querem se fundir com o outro. Mas é importante sempre lembrar que esses *eus* não são nossa verdadeira identidade. Só estamos identificados com eles, porque existem sentimentos negados sustentando essa identificação. Como já vimos anteriormente, esses sentimentos vêm de uma espécie de cordão umbilical energético que ainda está conectado aos nossos pais, devido às rejeições e humilhações que todos nós, em menor ou maior grau, sofremos na infância. Então, é inevitável que continuemos reeditando nossas feridas infantis nos relacionamentos.

Precisamos destrinchar nossa história, mas isso somente é possível se nos dispusermos a olhar. Não é possível elevar a energia sexual ao coração se ainda estamos querendo machucar a nós mesmos e ao outro. Lembre-se: somos nós que escolhemos fazer isso. Então, procure identificar quem em você está fazendo esse jogo. É preciso identificar esses eus para tomar um distanciamento deles. Certamente, eles todos nascem da carência afetiva e estão comprometidos com a vingança.

COMPULSÃO POR SEXO, PODER E DINHEIRO

Os principais amortecedores que trabalham a serviço do bloqueio da expansão da consciência, ou as principais distrações do ego humano, são sexo, poder e dinheiro. Eles obscurecem a consciência e atuam como anestésicos que nos impedem de entrar em contato com nossos sentimentos. Essas três forças, no entanto, são neutras, e podem funcionar tanto como uma escada para subir como uma escada para descer. Mas quando a luxúria entra em cena, ela corrompe esses elementos, contaminando-os com o ódio e o medo. Ela é uma especialista em usar o sexo e o dinheiro para obter poder.

Parece que tudo gira em torno disso; a vida se tornou uma corrida desenfreada em busca desses três elementos. Ao mesmo tempo em que precisamos deles para o nosso desenvolvimento, em algum momento, eles podem se tornar tóxicos. Aquilo que é uma necessidade legítima da experiência humana acaba sendo distorcido e dá origem a uma necessidade compulsiva. E isso ocorre justamente porque, ao obtermos esses elementos, experimentamos um alívio da angústia existencial decorrente do esquecimento da nossa identidade.

São muitos os desdobramentos e as compulsões geradas a partir desse triângulo sustentado pela luxúria: consumismo, gula, competição, doenças psicológicas relacionadas à autoimagem, vícios de todos os tipos. Entre todas as compulsões, a mais profunda é, sem dúvida, a de pensar, mas nossos pensamentos, de forma geral, também orbitam em torno de sexo, poder e dinheiro. Isso é o que ocupa a mente humana.

Outro desdobramento é a compulsão por comida, pois ela também é um poderoso amortecedor. A gula, que é a primeira matriz do eu inferior, está intimamente relacionada com a luxúria. Existe um fino canal que liga a ponta da língua ao sexo. Costumo dizer que se você domina a língua, você domina o sexo, e se domina o sexo, domina a vida. Mas o que é dominar? É transcender. Mas você só transcende aquilo que compreende, e só compreende aquilo que experimentou.

Então, ao ser assaltado pela gula, saiba que é preciso olhar para a sua sexualidade. Porque a raiz da gula é a repressão sexual. Se ela age de forma intensa, significa que a repressão sexual também é muito intensa. E quando a repressão é muito intensa, é preciso ter muita disposição para poder ir além do muro criado pela moralidade que gerou esse condicionamento. Quando progredimos no trabalho de purificação, tomando consciência das nossas repressões e nos libertando delas, todo nosso sistema relaxa e um espaço interno se abre para nos alinharmos com bons hábitos alimentares e, talvez, para vivermos as experiências sexuais que precisamos.

O sexo é sagrado. Estamos vendo que não é possível chegar ao coração sem passar por ele. Porém, quando buscamos pelo sexo distorcido, ou seja, o sexo movido por perversões e pelo desejo de dominar o outro, nossas experiências sexuais são carregadas de culpa. Não nos permitimos uma experiência sexual plena. Além da repressão da sociedade, da cultura e da religião, ocorre uma autorrepressão. E se mantemos uma necessidade tão visceral reprimida é claro que isso tende a aumentar nossa angústia. Aqui entra a gula e suas diversas manifestações de voracidade: comer muito, falar muito, comprar muito, ler muito etc.

Muitas vezes, o único caminho para aliviar essas compulsões, é explorar a sexualidade para poder chegar à raiz da cisão, ou seja, ao ponto em que a energia vital foi impedida de seguir seu fluxo natural. Como já estudamos, a sexualidade é uma forma de acessar o Divino por meio do outro. Mas se a luxúria está atuando, isso não é possível.

O dinheiro é outra forma de energia muito poderosa. Se utilizado de maneira adequada, ele pode nos ajudar a realizar a meta da vida. Mas quando essa energia é contaminada pela luxúria, ela também estará a serviço de manter a identificação com o falso eu e, em vez de nos aproximar da meta, vai nos distanciar ainda mais dela.

É fácil saber se estamos utilizando essas energias da forma alinhada com o Universo ou se as estamos distorcendo. Há um indicador muito claro para sabermos se temos ódio e medo por trás de nossas ações: a culpa. Se existe luxúria usando sexo e dinheiro, inevitavelmente, existe culpa. Ninguém sente culpa por amar. A culpa só é possível quando não amamos. Ela existe quando estamos atuando como canais do ódio, ou seja, quando estamos machucando a nós mesmos e ao outro.

Mas a luxúria também cumpre um papel dentro do jogo divino. O eu inferior também nos leva para Deus, porque é através da percepção do sofrimento que nos movemos em direção à liberação. O sofrimento é uma mola propulsora e um guia para o trabalho de transformação. Aos poucos, vamos nos dando conta de que onde há sofrimento, há trabalho a ser feito, há segredos guardados, há tesouros a serem desenterrados. Assim, a luxúria tem um papel muito importante nesse jogo. Se a vida é relacionamentos, se o masculino e o feminino buscam se unir, se essa é realmente uma passagem inevitável para a experiência da unidade, a luxúria vai nos mostrar tudo que ainda não foi devidamente compreendido e integrado dentro de nós. A porta se abre justamente no ponto e no momento em que tomamos consciência de que queremos fazer do outro um escravo, que queremos dominá-lo.

SEXO E ESPIRITUALIDADE

Para a maioria das pessoas, sexualidade e espiritualidade são forças antagônicas; duas expressões da vida que não devem e não podem ser unidas ou relacionadas, nem mesmo no plano dos conceitos. Porém, como já vimos, o sexo é um poderoso instrumento que pode levar o ser humano a ter a experiência da unidade.

A energia sexual é a pedra filosofal dos antigos alquimistas. É onde está o elixir da longa vida. É nesse núcleo da vida que está a chave para a libertação. Só nos libertamos verdadeiramente quando entregamos essa energia para Deus. Mas isso não pode ser forçado. A entrega não pode ser falsa. Se você tenta entregar sua energia para Deus reprimindo seus impulsos, o desejo só vai aumentar. O poder da luxúria e todos os desvios de sexualidade que ela gera só irão aumentar. É dessa repressão que nasce a promiscuidade, a perversão e a pornografia, porque não é possível bloquear a fonte da vida. Precisamos aprender a canalizar essa tremenda energia para a nossa evolução espiritual, mas não é negando ou reprimindo seu poder que isso poderá ser feito. Toda a estupidez que podemos observar hoje em dia, agindo através de alguns grupos religiosos, provém da repressão sexual. Geralmente, as religiões não concebem a convivência entre sexo e espiritualidade. Mas se espiritualidade é sinônimo de integração e unidade, ao negarmos o sexo, ao nos opormos a ele, negamos uma parte de nós mesmos.

Tudo o que existe na psique humana manifesta-se na sexualidade. Tudo aquilo que não queremos encarar, enfrentar ou admitir a respeito de nós mesmos se expressa através do sexo. Nossa expressão sexual é um veículo que manifesta, inclusive, tudo o que é "não sexual" na nossa psique. Portanto, a sexualidade é o principal instrumento de aferição, é uma bússola que indica exatamente onde nos encontramos na jornada evolutiva, na evolução espiritual. Neste momento de nossas vidas, a principal evolução que necessitamos é a evolução espiritual, que é sinônimo de realizar-se no amor ou, se você preferir, em Deus. E isso significa reconhecer o amor, ou Deus, em nós mesmos, acolher e integrar tudo dentro de nós. E o que está fora de Deus? Nada. Deus é tudo. Tudo é sagrado, inclusive o sexo. Estamos encarnados neste plano para descobrir a sacralidade que existe em tudo e em todos. Isso é sinônimo de reconhecer Deus em cada um de nós.

Então, porque existe uma separação tão radical entre espiritualidade e sexualidade?

Por medo. Nós temos medo do poder da sexualidade, medo de perdermos o controle ao entrar em contato com esse poder. Lembro de um buscador que havia tido algumas experiências profundas de expansão da consciência, nas quais tinha vislumbres do êxtase místico. Ele tinha certa facilidade para entrar em estados alterados de consciência. Mas não se conformava com o fato de ter que "voltar para o mundo" depois dessas experiências. Ele estava desesperado buscando sustentar esse estado e me pediu ajuda. Sugeri que ele fosse namorar um pouco. Ele se surpreendeu, mas procurou seguir meu conselho e encontrou uma namorada. Foi quando ele pôde ver o que o segurava, qual era a âncora que não permitia que ele pudesse permanecer nos estados elevados de consciência. A paixão acordou nele uma profunda raiva que estava escondida nas profundezas do seu sistema. Era um ódio tão irracional que ele não sabia como lidar com isso. Há muitos anos ele se enganava, fugindo dos relacionamentos afetivos, mas a verdade era que, assim que se apaixonava por uma mulher, ele sentia vontade de matá-la.

É preciso estar sempre atento às artimanhas e estratégias do *eu* inferior. Facilmente nos enganamos, achando que somos pessoas muito evoluídas. Por isso eu sugiro utilizarmos esse preciso instrumento de aferição para ver se ainda existe desejo de humilhar e de ser humilhado, ou seja, se ainda existem pontos de ódio no nosso sistema. Muitas vezes, uma grande maldade pode estar disfarçada pela máscara da mais profunda bondade e da mais elevada iluminação.

O SEXO E A SOMBRA

A esta altura do nosso estudo, já compreendemos que ao nos movermos em direção à força sexual, inevitavelmente, virão à tona sentimentos negativos, porque a energia da sexualidade guarda uma espécie de memória de dor, nos pontos em que foi reprimido na infância. Quando ativamos a energia sexual por meio de uma relação amorosa ou uma paixão, ativamos também esses "*links*", entramos em contato com os núcleos negados e com a dor guardada neles. Por isso, muitas vezes, fugimos ou fechamos o coração para não nos permitirmos sentir. Porém isso faz com que o desejo aumente, e esse conflito interno gera as distorções, que são criadas para tentar suprir a carência e o impulso pelo sexo. Essas distorções se manifestam como perversidade, vício pela pornografia, masturbação compulsiva, etc.

Em maior ou menor grau, todo ser humano carrega esse conflito. Por trás do prazer, existe um ódio oculto, não conhecido, não identificado. Um subproduto desse conflito é a culpa de sentir prazer. Porque uma grande maldade não revelada se expressa através do sexo. E toda a culpa em relação a ele é devido à negação dessa maldade.

Vamos supor que uma pessoa foi muito humilhada na infância e ainda carregue essa ferida aberta. As estratégias que ela usará serão aspectos da matriz psicológica do orgulho, como arrogância, autoritarismo, soberba, indiferença etc. Então, a energia distorcida vai se expressar nas fantasias sexuais e na sexualidade como um todo. Talvez, ela tenha o desejo de subjugar, dominar e humilhar o parceiro, por exemplo. Alguns mantêm esses desejos no plano das fantasias, outros vão realizar suas fantasias contratando profissionais do sexo, outros vão maltratar seus próprios parceiros. Mas independentemente da forma como as distorções se manifestam, certamente existe culpa. Nos sentimos culpados por sentir prazer em machucar o outro. E o caminho para livrar-se da culpa é assumir responsabilidade pelo próprio ódio, é compreender a origem desses impulsos maldosos. A autorresponsabilidade nos liberta da culpa.

É por tudo isso que a sexualidade é tão temida. A corrente vital ativada por meio do sexo traz à tona aspectos sombrios da personalidade que precisam ser integrados. E essa tão poderosa energia pode facilmente ser utilizada para machucar, humilhar e obter poder sobre o outro, assim como destruir a nós mesmos.

Durante uma fase da evolução da consciência humana, a sexualidade precisou ser reprimida, porque a expressão sexual era veículo para as mais profundas manifestações de brutalidade, crueldade e animalidade. Valores como respeito e gentileza eram quase inexistentes. E o ser humano não tinha condições psíquicas para elaborar tamanha maldade. Assim, por conta dessa imaturidade e da incapacidade de lidar com a sombra, foi necessário conter essa expressão natural da vida.

Nos *ashrams* (comunidades espirituais) e em muitos lugares considerados sagrados, onde a energia espiritual precisava ser ancorada, o sexo foi proibido, justamente porque trazia à tona a bestialidade negada. Somente agora, quando a humanidade pôde amadurecer um pouco para compreender a sombra, estão sendo estabelecidos os alicerces para uma nova era, na qual não existe separação entre absolutamente nada.

A sexualidade é eminentemente sagrada. Ela é uma porta para o Divino. Uma expressão da consciência que se move em direção à união. Mas devido à destrutividade negada e suprimida, ela se transformou em um tremendo tabu. Um tabu tão grande que nem mesmo podemos nos sentir à vontade para falar sobre isso. Mas é justamente essa negação que contamina o aspecto sagrado da sexualidade. Nossa reação comum é fugir, virar o rosto, para não ter que encarar nossa sombra, mas é essa atitude que impede o florescer da autorresponsabilidade e alimenta o jogo de acusações dentro das relações.

O conceito de sombra é importante e precisa ser bem compreendido. Sombra é tudo aquilo que se encontra no plano inconsciente da mente, aquilo que não temos acesso. Refere-se, mais especificamente, aos aspectos negados e suprimidos que se manifestam, como medo, vergonha e as diversas manifestações da maldade. É importante compreender que todos nós possuímos uma sombra, todos nós temos cantos escuros, onde guardamos aspectos da nossa história pessoal e da personalidade que não aceitamos, e por isso não queremos entrar em contato.

A fragilidade nas nossas relações é fruto da inconsciência sobre a nossa própria sombra, pois o fato de não conseguir enxergá-la faz com que vejamos somente a sombra do outro. Por isso estamos sempre desconfiados, achando que o outro é culpado. Por exemplo: você tem o desejo de ter vários parceiros, mas nega esse desejo. Inevitavelmente, você começa a projetar isso no outro e a desconfiar que ele vai te trair. Talvez, o outro tenha esse mesmo desejo, mas isso é algo que só ele poderá resolver. O que estou dizendo é que nos distraímos olhando para a sombra do outro e não percebemos a nossa própria sombra.

Sexo sem ódio ainda é um fenômeno raro neste planeta, por isso é tão difícil integrá-lo com a espiritualidade. Mas estamos trabalhando firmemente para que a transformação aconteça e o sexo possa ser percebido e experienciado como a mais profunda manifestação do amor, tornando-se, assim, uma prece. A sexualidade é uma expressão da espiritualidade, é um caminho para o amor. O que pode ser mais profundo e belo do que um ato dessa natureza? Em algum momento, a força erótica se transforma em amor. Esse é o fim da separação, o fim da dualidade. O dois se transformam em Um.

O sexo é a semente, o amor é a flor, e a compaixão é o perfume da flor. Se você condenar a semente, não haverá flor, muito menos perfume. Infelizmente, no atual estágio da humanidade, a semente ainda é condenada. É preciso ressignificar esse paradigma para libertar a semente.

A fórmula para essa transformação, o caminho para finalmente refazer o elo entre sexualidade e espiritualidade é o mesmo que já traçamos no capítulo anterior: purificar nossos corações, livrar-nos do medo e do ódio. Enquanto houver desejo de humilhar e dominar o outro, enquanto ainda quisermos castrar a espontaneidade do outro, não haverá possibilidade de união.

AMADURECENDO PARA O NOVO

Anteriormente, mencionei que o encontro da energia sexual com o coração gera uma corrente vital tão intensa que você teme desaparecer, teme dissolver-se nela. Esse é o poder que se manifesta no êxtase místico. Mas se ainda não viveu, nem que seja um vislumbre dessa experiência de unificação, que também pode ser entendida como a união das correntes de força masculina e feminina dentro de você, talvez, seja difícil compreender o que estou dizendo.

Não tendo completado o processo de purificação, ao se aproximar da energia sexual, você, inevitavelmente, sentirá medo de entrar em contato com as partes da sua personalidade que foram guardadas na sombra e que você não quer iluminar. Parece paradoxal, mas tenho dito que o maior medo do ser humano não é o medo da escuridão, mas sim o medo da luz.

A meta de eros (a energia erótica) é alcançar o coração, por isso, estando apaixonado por alguém, corremos esse grande risco — o risco de amar. Essa energia vai chegando, pouco a pouco, ao coração, e vamos tendo pequenos vislumbres da experiência da unidade. Com isso, o medo vai surgindo, e se não estamos suficientemente maduros para admitir o medo e enfrentá-lo, tentamos fugir.

Tenho visto que a maneira mais fácil e comum de fugir dessa luz é justamente acusar o outro, encontrar defeitos nele. Mesmo que o outro não esteja fazendo nada e que não dos dê motivos de verdade para reclamar, encontramos algum defeito nele. A mulher encontra motivos para "esfriar" o corpo. O homem encontra motivos para achar outra mulher.

Então, o que caracteriza a maturidade é o fato de poder assumir responsabilidade pelo seu medo, pela sua incapacidade de amar e ser feliz. Imaturidade é você precisar acusar o outro por isso. Estando maduro, você vê a sua responsabilidade nos conflitos, por mais que o outro esteja equivocado.

DESPEDINDO-SE DO VELHO

Neste ponto do nosso estudo, sinto que já temos o conhecimento necessário para avançarmos no tema central deste livro. Já podemos começar a nos despedir do velho e abrir os braços para o novo. Apenas sinto que é importante recapitular alguns pontos, falando um pouco sobre as principais fases de desenvolvimento da consciência. Isso é para você ter clareza sobre onde se encontra e sobre os próximos passos da sua jornada.

Primeiro estágio

Nesta primeira etapa da evolução, a entidade humana não tem nenhuma consciência de quem ela é. Ela simplesmente é tomada por impulsos inconscientes e não tem percepção suficiente nem mesmo para questionar o porquê das coisas. A consciência está sintonizada no momento presente, mas não na presença do Eterno, que é o portal para a liberação. A consciência está em um presente determinado pelos sentidos — ela age a partir dos sentidos. Nesse estágio, o foco está totalmente na sobrevivência.

Se existe ciúme, inveja, raiva, luxúria, medo ou qualquer impulso da natureza inferior, isso não é questionado, porque a entidade acredita ser aquilo. Não existe distância entre o observador e o impulso, e este atua como uma possessão, ou seja, no momento em que o impulso surge, a pessoa sente como se ela fosse a própria encarnação do ciúme, do orgulho, do medo, da compulsão. Às vezes, ela sente raiva por ser assim, mas como ela acredita ser isso, simplesmente sofre (julga-se, condena-se, pune-se), pois acredita não poder fazer nada em relação a isso.

Segundo estágio

A segunda etapa é o primeiro estágio do processo de despertar da consciência. Até aqui havia uma evolução, mas a consciência estava completamente adormecida.Essa fase se inicia quando a pessoa começa a perceber que ela não é aquele impulso inconsciente. Ela percebe que o impulso passa por ela, mas não é a sua realidade final — ela sabe que aquilo vai passar. Ela começa a perceber que a chave é ampliar a percepção. Neste estágio, já é possível perceber que os impulsos são como nuvens que passam. Às vezes, elas são claras, às vezes, são escuras, mas sempre passam. O Ser na qualidade do observador é como o céu que só observa as nuvens passarem.

Então, a pessoa começa a perceber a inutilidade de lutar contra esses impulsos, pois eles são manifestações da sombra, da escuridão. Mas a escuridão não tem existência própria – ela é a ausência da luz. Então, como vencer algo que não existe? Isso não é possível.

Terceiro estágio

No terceiro estágio, a pessoa já pode fazer uso de um privilégio divino: a escolha. Ela descobre que pode fazer diferente, então, escolhe não cair no mesmo buraco, por maior que seja o poder de atração dele. Até porque, neste ponto, a pessoa já teve a oportunidade de compreender a relação de causa e efeito, de compreender sua história e de crescer em autorresponsabilidade.

Com isso, podemos escolher renunciar ao impulso destrutivo, o que, às vezes, requer esforço, então, temos que fazer uma austeridade inteligente, pois é preciso "pegar o boi pelo chifre" e dizer: "chega! Não vou mais ceder à tentação de cair nesse buraco! Eu sei onde isso vai dar e não quero mais sentir esse prazer negativo. Não quero mais o sadomasoquismo. Não quero mais o prazer de rejeitar e ser rejeitado".

Quarto estágio

Finalmente, o quarto estágio é a integração desses impulsos, o que significa que não sentimos mais atração por aquela repetição negativa. A energia é transformada: o orgulho se transforma em humildade, a luxúria se transforma em devoção, o medo, em confiança, o sofrimento se transforma em alegria. Esse é o significado mais profundo da palavra "purificação".

Quando falo que é preciso purificar o seu sistema, estou me referindo a esse processo de integração das partes separadas da personalidade. Esse é um processo de cura psicoespiritual. Algumas pessoas questionam por que chamar esse trabalho de "espiritual", se ele é voltado para a transformação da personalidade e para o estudo da psique. O que isso tem a ver com espiritualidade? O que precisa ser compreendido é que, na verdade, esse trabalho envolve todas as dimensões do Ser, incluindo a espiritual, porque se trata de um estudo da história da alma. Ao aprofundar nessa busca interior, poderemos nos deparar com marcas decorrentes de vidas passadas. Teremos a oportunidade de dissolver condicionamentos que vêm sendo reeditados há gerações. Isso quer dizer que, através desse estudo e desse trabalho de purificação, temos a oportunidade de curar não somente a nós mesmos, mas também aos nossos antepassados.

Esses impulsos destrutivos mencionados anteriormente são como partículas soltas que permanecem flutuando no Universo. Segundo a lei do *karma*, encarnamos neste plano trazendo algumas dessas partículas, com o objetivo de integrá-las. Essa missão não é somente individual, é uma missão cósmica. Porque nós somos um na luz, mas também somos um na sombra. Tudo está interligado. Por conta da ideia de individualidade, acreditamos que se trata de nossa luxúria, do nosso medo, do nosso egoísmo apenas. Mas estamos falando de uma sombra coletiva também. Na medida em que integramos a parte que nos cabe, ajudamos a iluminar o todo. Isso é espiritualidade.

CURANDO A SI MESMO PARA CURAR O PLANETA

A cura planetária acontece de dentro para fora. Ao nos dedicarmos ao processo de autotransformação, em algum momento, poderemos contribuir também para a transformação planetária. Porque só podemos dar aquilo que temos. Só é possível dar amor se amamos, a nós mesmos e ao outro. Só podemos ajudar o outro a ser feliz se somos felizes.

Muitos querem contribuir para a paz na Terra, mas não sabem como encontrar a paz dentro da própria família. Então, enquanto não há o que oferecer, não caia na armadilha de querer salvar o mundo, trate de salvar a si mesmo. Trate de olhar para a injustiça que te habita. Olhe para a violência, para o desrespeito e para a dor que te habitam. Esse é o primeiro e mais importante passo para iluminar este mundo.

Se puder iluminar a ignorância dentro de você, tenha certeza de que a injustiça lá fora também será iluminada. A separação é a última ilusão. Nós somos um. Quando progredir no trabalho de transformação da natureza inferior, você poderá ter *insights* sobre como colaborar para diminuir a sombra que está fora. Esses *insights* nascem do coração e geram ações baseadas no amor — elas são o amor colocado em movimento.

Porém enquanto você não ilumina a sombra que te habita, todas as tentativas são fruto de uma reação que só amplia o problema, que só alimenta a separação. O mesmo ocorre quando você tenta mudar a pessoa com quem você está se relacionando, acreditando que ela é responsável pelo seu sofrimento.

Você quer realmente transformar o sofrimento em alegria? Quer ir além da guerra que existe nas suas relações? Quer fazer desse mundo um mundo melhor? Se a resposta é sim, mergulhe fundo dentro de si mesmo para encontrar as contradições que te habitam. Trate de identificar as angústias,as insatisfações contínuas e o seu desejo deliberado pelo negativo, que é o que impede a realização do seu desejo objetivo. Somente assim poderemos nos valer desse recurso tão abençoado que é o relacionamento. O outro sempre vai apertar os botões que precisam ser apertados para revelar onde está a fixação da nossa mente, ou seja, onde estamos aprisionados. Nós escolhemos os relacionamentos justamente para usufruir dessas chances.

CAPÍTULO 4

NÓS

Pouco a pouco, vamos abrindo os caminhos e avistando o Novo. Vamos começando a navegar em alto mar. Já evoluímos no trabalho de purificação e desenvolvemos, até certo ponto, a virtude da autorresponsabilidade, o que significa que já pudemos libertar nosso sistema de uma parte do medo e do ódio. Já é possível começar a avistar no horizonte a possibilidade de um novo tipo de união, um Novo Casamento.

Porém todo esse entendimento não é capaz de promover a transformação. Os ensinamentos, instrumentos e ferramentas transmitidos só poderão ajudá-lo se você realmente levá-los para a prática do dia a dia. Fica o convite para você fazer uso deles. Em primeiro lugar, identifique suas insatisfações. Tenha coragem de olhar para aquilo que não está bom na sua vida, aquilo que você gostaria que fosse diferente. Atente também para o que você está freneticamente tentando alcançar, mas que, quanto mais corre atrás, mais distante fica de você. Observe a ansiedade, a angústia e a frustração que nascem dessa situação. Elas indicam uma possível contradição dentro de você. Possivelmente, há em você um "não" para aquilo que conscientemente você deseja. Abra-se para permitir tomar consciência desse "não". Mais do que isso: procure se existe em você um desejo pelo oposto daquilo que você conscientemente quer.

Assim, começamos a entender melhor os conflitos nas relações humanas e, quem sabe, conseguimos abrir os caminhos para visualizar como seria essa nova relação, na qual duas correntes positivas se encontram, em que dois "sim" se encontram. Porque o encontro entre dois "não", ou entre um "sim" e um "não", é fácil de visualizar. Esse é o velho padrão.

A esta altura, talvez, você esteja ansioso, se perguntando: "afinal, como é esse tal de Novo Casamento"? Talvez, você tenha muitas ideias (ou idealizações) sobre como seria essa nova relação. Talvez, você tenha identificado que se encontra em um "velho casamento" e esteja em busca de respostas. Alguns podem até estar convictos de que esse negócio de relacionamento não é para eles.

Se algum desses for o seu caso, não se preocupe. Neste plano, o Novo Casamento raramente acontece cedo na vida, pois uma relação desse tipo só pode surgir após um profundo amadurecimento. O velho casamento tem sua importância no processo evolutivo, apesar de tudo. Dependendo do *karma* da pessoa, ela pode precisar viver essa experiência para aprender e integrar certos aspectos da personalidade.

Não importa a idade, o sexo, a raça, a religião. Estando encarnado neste plano, você está matriculado na universidade dos relacionamentos. Esse é o grande tema. Alguns estão nos exames finais, outros ainda estão na prova de ingresso. O que determina quão avançados estamos é nossa capacidade de assumir responsabilidade, pois somente através dessa maturidade podemos perdoar e agradecer. Sem essa virtude, não é possível se formar neste curso. Relaxe e aproveite a jornada.

O ORGULHO E O MEDO DA INTIMIDADE

Costumo dizer que, apesar do romantismo, o relacionamento pode ser visto como material de escola. Muitas vezes, uma relação aparentemente negativa é melhor que o isolamento, porque proporciona oportunidades de aprendizado. Portanto, se você está sozinho, é importante avaliar o real motivo dessa escolha. No capítulo 3, eu fiz uma sugestão: se você está se relacionando ou quer se relacionar, preste atenção para ver quem em você está manifestando esse desejo. Tome consciência de suas motivações, cheque possíveis padrões destrutivos inconscientes. Faço a mesma sugestão agora para quem está sozinho e não quer se relacionar. Observe atentamente e busque compreender o que te leva a querer ficar sozinho. Trata-se mesmo de uma escolha (uma ação consciente) ou é apenas uma reação? É importante que essa escolha seja consciente, o que significa que não é produto do medo ou do ódio, mas sim de um sincero desejo de aprofundar-se em si mesmo através da solidão. Avalie sinceramente por que você quer seguir dessa maneira, para ver se não é uma fuga. A resposta está dentro de você — você já sabe.

A maioria das pessoas que decide ficar sozinha faz isso por medo ou por ódio. Em outras palavras, é porque elas têm muita dificuldade de lidar com determinadas partes de si mesmas que são ativadas dentro da relação. Ainda é raro ver alguém sozinho pela consciência de um comando do coração, por saber que é isso que a alma está precisando para se expandir, naquele momento. Normalmente, as pessoas escolhem ficar sós porque a relação se tornou muito desafiadora. Elas não conseguem atravessar determinado estágio, por medo da revelação. E sem revelação, não há intimidade.

Intimidade é o encontro de dois centros. É ela que possibilita o encontro entre duas correntes de aquiescência, duas correntes positivas, duas forças que dizem "sim". Experimentar e sustentar o prazer positivamente orientado dentro de uma relação só é possível se houver intimidade. E intimidade é sinônimo de transparência — nada de segredos, nada de mentiras. Isso permite que, pouco a pouco, o medo e o ódio que estão impedindo a união sejam transformados em confiança e amor.

Porém esse movimento em direção ao centro normalmente causa medo, porque intimidade exige revelação, o que pode representar uma desconstrução, o fim de uma fantasia. Quando você se aproxima de alguém, a imagem que criou para si e para o outro é ameaçada. A verdadeira intimidade vai muito além da nudez física; é a nudez da alma. É estar verdadeiramente despido de qualquer proteção — qualquer máscara. É ter a disposição de tornar-se completamente vulnerável. Porém se você ainda não desenvolveu suficientemente a virtude da confiança, isso não será possível.

Se você não confia, você não se abre, pois se sente ameaçado. Você teme a resposta do outro à sua revelação. Teme ser ferido novamente no mesmo lugar machucado. Por trás desse medo, normalmente está uma vergonha, que é uma filha do orgulho. Por causa dele, você precisa se esconder. O orgulho está sempre protegendo alguma miséria que você mesmo não aceita e que, portanto, não quer que ninguém descubra. Então, você precisa construir grandes muros para manter-se isolado. Quanto maior a humilhação ou a dor que você esconde de si próprio e do mundo, maior o medo e, consequentemente, maior o isolamento.

O orgulho é um dos maiores impedimentos para a evolução dos relacionamentos. Assim como todas as matrizes do eu inferior, nós o criamos e alimentamos para nos protegermos da dor. Ele é um guardião que está a serviço de impedir a nossa entrega, entrega ao outro. É uma entidade muito complexa, que tem centenas de agregados psicológicos. Um dos principais é a vergonha, ao lado da autoimagem idealizada, um conjunto de máscaras muito bem construído com base no medo, ao custo de tremendos esforços.

No mais profundo, temos medo de manifestar a verdade que somos. E para podermos nos mover no mundo, protegidos das nossas dores e da própria verdade, construímos essa autoimagem, que costumo chamar também de eu idealizado. Esse eu se torna tão concreto, tão grudado em nós, que passamos a acreditar que somos isso. Passamos a acreditar que essa é nossa realidade final, que é tudo o que temos, e que se abrirmos mão das máscaras, não sobrará nada.

Mas o que precisa ser compreendido é que você não conhece o tudo que você é. Você não é apenas o que pensa ser. A imagem que você faz de si mesmo representa apenas uma parte muito pequena de você. Pode ser muito difícil de acreditar, mas você é a própria fonte eterna do amor e da luz. Para alguns, isso até pode soar ridículo. Mas estando identificado com as máscaras, você teme justamente revelar esse "tudo" que é você. Você teme estar trocando tudo por nada, mas é justamente o contrário. É como se um mendigo estivesse sentado em um baú repleto de tesouros enquanto pede esmolas.

O orgulho, portanto, está a serviço do medo. Ele quer manter a autoimagem idealizada, que dá sustentação à falsa ideia de eu. Ele faz com que você tente controlar tudo para manter essa grande ilusão.

ESTRATÉGIAS DE FUGA

As experiências vividas dentro da esfera dos relacionamentos sempre nos exigem superação — superação do medo, da vingança, do controle, da vergonha etc. Somos constantemente chamados a tomar consciência das partes negadas de nossa personalidade, para então purificá-las, porque sem isso não podemos encontrar a fonte do amor dentro de nós mesmos. E ao evoluirmos no processo de purificação, começamos a encontrar a verdadeira autoconfiança, que nos permite percorrer o caminho da ascensão.

Por isso o relacionamento traz muitos desafios. Já tivemos a oportunidade de abordar alguns deles anteriormente, mas os desdobramentos são muitos e, nesse caminho do resgate da autoconfiança, inevitavelmente precisaremos correr riscos, para os quais nem sempre estamos prontos. Então, muitas vezes, voltamos a fechar o coração e a fazer uso dos velhos mecanismos de defesa. Voltamos a agir no padrão antigo.

As principais estratégias de fuga se manifestam como necessidade de variedade (uma compulsão de trocar de relacionamento), esfriamento do fogo erótico (perda de interesse pelo outro) e isolamento (não se relacionar). Essas são as estratégias que o orgulho encontra para impedir a revelação. Por meio delas, tentamos nos manter na periferia, ou seja, não nos permitimos tocar o centro, o âmago do outro e, igualmente, não nos permitimos sermos tocados por ele. É preciso ter coragem para abandonar as defesas e se permitir chegar próximo do centro. É necessária ainda mais coragem para deixar o outro tocar nosso centro, para revelar-se. E como já disse: sem revelação, não há intimidade. Sem intimidade, não há aprofundamento do amor.

Para que o aprofundamento ocorra, é necessário um certo grau de entrega, ou seja, é preciso ter confiança, lealdade e fidelidade. Para aprofundar-se numa relação, você precisa estar focado, você tem que estar olhando para uma direção. Porém por conta da repressão sexual, muitas vezes não é possível se comprometer nesse grau.

Ocorre que a pessoa que foi muito reprimida tem curiosidade de conhecer aquilo que foi proibida de conhecer. Com isso, a variedade sexual acaba sendo um alívio para ela, um alívio para a libertação da repressão. Então, se você se encontra nesse estágio, o melhor é não se comprometer. Se fizer isso, você estará somente alimentando o círculo vicioso do sadomasoquismo e criando *karmas* desnecessários, já que estará prometendo dar algo que não tem para dar, algo que não pode cumprir.

CONTROLE E AUTOENGANO

Às vezes, mesmo estando comprometido em uma relação, você ou o seu parceiro podem sentir vontade de conhecer outras pessoas. É possível que vocês sintam atração e queiram experimentar. Talvez, vocês tenham curiosidade de ver se a grama do vizinho é mesmo mais verde. Na maioria das vezes, quando isso acontece, somos tomados pelo impulso de controlar, acreditando que, se amarrarmos o outro ao pé da cama, estaremos evitando um sofrimento maior. Acreditamos que não daremos conta de deixar a pessoa ir embora, que não suportaremos perdê-la. Somos tomados pelo medo da solidão. Assim, tentamos mantê-la prisioneira, tentando provar que nossa grama é mais verde que a do vizinho e que ela tem que olhar somente para nós. Então, começamos a usar todo o nosso repertório para forçar o outro a nos amar, a nos desejar, a querer estar conosco.

Mas isso é um autoengano, uma ilusão. Não podemos segurar a pessoa. Se assim fizermos, ela ficará com raiva de nós e, provavelmente, tentará se vingar pelo fato de não estar fazendo o que quer fazer. Assim, estaremos criando um sofrimento desnecessário para nossa vida, para a vida dela e para a vida de quem está ao nosso redor. Esse esforço para fazer o outro nos amar acaba ativando o pior dele, justamente porque reedita a ferida primordial, que é o momento da cisão, quando ele foi bloqueado na expressão da sua espontaneidade e da sua vitalidade. Com isso, um ciclo de dor é ativado, que rapidamente transforma-se em um jogo de ataque e defesa.

Porém se puder deixar o outro realmente livre, talvez ele faça a experiência que precisa fazer e volte. Se há amor, ele vai voltar. Mas é fato que estaremos correndo um risco. É possível que ele esteja ainda muito distante de ter qualquer *insight* a respeito do amor, e a vida o leve para longe. Pode ser que ele realmente vá embora.

Essa é uma questão de escolha: queremos continuar nos enganando ou queremos seguir o caminho da verdade? É importante ter consciência de que esse caminho oferece riscos e pede estrutura emocional para enfrentá-los, porque eles poderão ativar nossa natureza inferior com muita intensidade. Precisaremos estar maduros para suportar e superar o ciúme, a inveja, a insegurança, todas as misérias possíveis.

Certa vez, eu falava sobre a importância da amizade nos relacionamentos, e uma aluna perguntou se amizade no relacionamento afetivo significava deixar o seu parceiro livre para viver suas experiências. Ela queria saber se deveria dizer, com calma e tranquilidade, para seu parceiro conhecer outra pessoa. Ela questionava se, nesse caso, eles não poderiam ser somente bons amigos. Esse questionamento é significativo.

Seria realmente muito bom se pudéssemos deixar o outro livre para fazer o que quiser, mas é mais comum escolhermos pagar o preço por manter o outro aprisionado. Preferimos suportar as situações negativas que isso vai gerar, o que inclui o nosso próprio aprisionamento. Preferimos continuar usando a máscara, acreditando que o outro ainda está interessado em nós, para não enfrentar os desafios e turbulências que virão se deixarmos ele livre para seguir sua jornada. Mas se o seu parceiro está sentindo atração por outras pessoas, é importante questionar qual é o sentido dessa relação, porque é verdade que essa "liberdade" pode virar uma forma de o casal não se aprofundar no amor. Isso precisa ser compreendido.

LIBERDADE OU FUGA?

Como mencionei anteriormente, muitas vezes, a variedade sexual pode servir de remédio para aquela pessoa que foi muito reprimida, pois essa liberdade é necessária para que ela possa avançar para estágios mais profundos do relacionamento. Mas, muitas vezes, tal ideia de liberdade é usada justamente para o contrário, para fugir do aprofundamento. Na verdade, a pessoa não está precisando desse remédio. O que ela está querendo é encontrar um jeito de escapar da intimidade.

Isso ocorre porque, como já vimos, o aprofundamento requer uma revelação, o que pode não ser fácil. A revelação implica mostrar páginas do livro da nossa vida que ainda não aceitamos, das quais ainda nos envergonhamos e que não queremos mostrar para ninguém (nem para nós mesmos). Então, quando chegamos nessa página, muito astutamente resolvemos mudar a direção de eros e sentir atração por outra pessoa. Nesse caso, a liberdade não é verdadeira. Estamos usando a ideia de liberdade como uma estratégia de fuga para evitar o duro processo de transformação do eu inferior. Porque, para nos transformarmos, precisamos ter a disposição de olhar para nossos defeitos, para coisas desagradáveis a respeito de nós mesmos. Precisamos ir além do orgulho e de todos os seus desdobramentos (vaidade, vergonha, arrogância, autoimagem idealizada...) para encontrar a humildade de nos mostrar ao outro e também para receber a revelação dele.

A revelação é um risco necessário. Ela pode fazer com que o casal entre numa noite escura, ou pode fazer com que eros se recolha. Muitas vezes, ao receber a revelação do outro, deixamos de admirá-lo, porque, na verdade, estávamos projetando nele partes nossas com as quais não queríamos entrar em contato. Geralmente, você não admira a si mesmo, por isso deixa de admirar o outro, já que ele está espelhando aspectos da sua própria personalidade.

Esses são aspectos da purificação dos corpos emocional e mental que ocorrem até que eros seja resgatado e possa se unir ao sexo e ao amor. Quando isso acontece, significa que atravessamos a noite escura. Depois disso, tudo será diferente. Uma coisa é viver fantasiando quem é o outro e quem é você. Outra coisa é você ter a visão objetiva da realidade, podendo enxergar e aceitar as feiuras e os primores, tanto no outro quanto em si mesmo. Enquanto estamos sob o encanto da paixão, e ainda não entramos nessa noite escura, que é o processo de purificação, temos uma visão subjetiva e distorcida da realidade. Enxergamos somente o que queremos enxergar. Durante um período, queremos sustentar as máscaras, tanto as nossas quanto as do outro, porque isso alimenta nossa fantasia.

Porém não é possível sustentar a máscara para sempre. Em algum momento, ela precisará cair, junto com as fantasias a respeito da vida, para que possamos aprender a olhar a vida como ela é e amá-la assim mesmo. Olhar objetivamente para a vida, especificamente para o outro, significa ver as belezas e as misérias dele, sem fechar o coração. Isso não deve ser razão para deixar de amá-lo. No mais profundo, você está acolhendo partes em você que antes também não amava.

Como grande parte do relacionamento é baseada em projeções, não existe uma fórmula que sirva para todos os casais. O importante é que estejamos conscientes da necessidade da alma de cada um. Se o outro precisa da variedade (prefiro falar variedade, e não "liberdade"), porque, então, não serem somente amigos? Sinto que é exatamente isso que você precisa: ser amigo. Esse é o melhor caminho. Mas não se engane: não diga que é amigo como estratégia para mais tarde se vingar e prender o outro. Não faça dessa ideia de ser amigo um instrumento da sua carência, da sua criança ferida. Você diz que aceita a necessidade do outro de ter variedade, mas depois encontra maneiras de aprisionar a pessoa na culpa e eternizar a relação. Precisamos realmente deixar o outro livre. E mais importante ainda: precisamos aprender a sermos livres.

Precisamos ser amigos do nosso companheiro ou companheira. Essa amizade não significa que haverá um esfriamento da força erótica. Você é um amante, mas também um amigo. E é com a companhia desse amante-amigo que você poderá mergulhar mais profundamente para encontrar o que busca no sexo oposto, até que possa unir masculino e feminino dentro de você.

Se o outro estiver precisando mesmo viver essa experiência da variedade, se essa vontade vier do coração, você não tem como segurá-lo sem que sua própria felicidade seja comprometida. Porém se ele estiver precisando se aprofundar na relação, mas tentando usar a ideia de liberdade para escapar disso, é fácil de identificar. Quando essa experiência da variedade ocorre e a relação se mantém, é fácil diferenciar a liberdade da fuga do aprofundamento. Na fuga, colocamos um relacionamento contra o outro. Essa é uma forma de escapar.

A variedade como remédio é para aqueles casos de repressão, nos quais a pessoa realmente não teve a chance viver o que queria. É para aqueles que estão na pré-escola dos relacionamentos. Mas o que eu tenho percebido é que, na maioria dos casos, a pessoa usa a ideia de variedade para fugir do aprofundamento. E ainda faz uso do discurso do conhecimento espiritual, falando de um conceito tão elevado e nobre de liberdade, para proteger as manobras do eu inferior: "você não viu o Prem Baba dizendo que a liberdade é a qualidade máxima? Esse é o caminho. Eu tenho que ser livre".

COMPULSÃO OU NECESSIDADE?

A atração bate à porta quando menos esperamos, mas devemos estar atentos para não nos enganar. Não precisamos nos aproximar de toda pessoa por quem nos sentimos atraídos. Essa atração deve servir como material de escola. Façamos uso da auto-observação para identificar o que em nós está indo na direção dessa pessoa. O que estamos buscando nela que não estamos encontrando em nosso momento atual? Isso pode ser apenas um vício, uma compulsão.

Ao nos deixarmos simplesmente sermos levados pelo impulso da atração, sem nos observar, não chegamos a lugar algum. Não ampliamos nossa percepção e permanecemos andando em círculos, com os olhos vendados. Iremos voltar sempre ao mesmo lugar, pois trata-se de um padrão repetitivo. Isso não nos traz crescimento algum, muito pelo contrário, só nos aprisiona cada vez mais nas teias do *karma*. Por isso é importante olhar para dentro e ver o que está nos levando naquela direção, o que estamos buscando no outro. Certamente, é algo que está dentro de nós, mas às vezes, precisamos de alguém lá fora para simbolizar o que está dentro. Agir cegamente, por impulso, não nos ajuda a crescer em compreensão. Na maioria das vezes, só o fato de parar para observar já traz a clareza necessária.

Mas é claro que nem sempre a atração é uma manifestação de uma compulsão. Às vezes, nossa alma está realmente precisando viver uma experiência diferente, para poder expandir. Somente o tempo traz a maturidade para discernirmos entre o que é um vício ou uma necessidade real da alma. Quando a vontade surgir, faça uma autoavaliação honesta para identificar o que sua alma precisa para expandir nesse momento: é aprofundar numa relação, é variar ou é ficar sozinha? As três possibilidades são válidas. Em determinados momentos da jornada, precisaremos escolher entre elas. O importante é não se enganar, ou seja, não ficar sozinho para fugir de relacionamento ou buscar variedade para fugir do aprofundamento. Não se enganar é ter coragem para doutrinar esses eus, essas entidades dentro de nós que querem continuar usurpando o trono da consciência.

Se já estivermos conscientes dessa parte em nós que está viciada em fugir do aprofundamento, é preciso ensiná-la, reeducá-la, para que ela possa ver os outros como amigos. Isso é o eu da luxúria que quer pegar uma terceira pessoa para escapar da relação. Então, temos que ensinar esse eu psicológico. Pergunte a si mesmo: por que estou querendo ser dono dessa pessoa? Por que não posso ser só amigo dela? Porque não posso somente apreciar e sentir admiração? Por que eu tenho que pegar a beleza do outro para mim? Isso é uma estratégia de fuga muito comum nos relacionamentos.

Mas é preciso ser amigo de si mesmo também. Se você precisa da variedade, mas sente culpa por conta da moral e da própria repressão, e fica querendo aprofundar numa relação sem sucesso, relaxe, essa não é a sua hora. Você não tem condições nesse momento. Aceite que esse é o lugar onde você está. Não queira estar onde não pode estar, porque isso é uma das coisas que mais dificulta a expansão da consciência. Essa é mais uma defesa, mais um aspecto do orgulho.

O NOVO CASAMENTO

Até este ponto do nosso estudo, falávamos, principalmente, do encontro entre duas crianças feridas, obstinadas em receber amor exclusivo e viciadas em sofrimento, o que poderia ser definido também como o encontro entre duas neuroses. Transitávamos, principalmente, na esfera do trabalho de cura. Agora, já podemos começar a falar sobre o encontro entre dois Seres, dois adultos maduros. Mas isso não quer dizer que não haja negatividade nessa relação ou que o medo e ódio tenham sido erradicados por completo do sistema. Nesta fase, ainda existem curas a serem realizadas. A diferença é que cada um já pode assumir responsabilidade pelos balanços da relação. Uma das principais características do Novo Casamento é que nele não existe jogo de acusações.

Inevitavelmente, o tema da cura e da purificação continuará sendo abordado, pois se trata de um processo contínuo, até que todas as capas que envolvem o Ser sejam removidas e a sua verdadeira natureza seja revelada por completo. Porém agora começamos a tratar também de temas relativos à esfera da ativação da consciência maior, que, em última instância, é o desenvolvimento da capacidade de criar união e amar desinteressadamente. Nessa etapa, já é possível ter vislumbres da comunhão com o Divino através do perdão e da gratidão, o que significa que, em algum grau, o amor já despertou.

Embora o caminho seja um, existem estágios e, muitas vezes, essas esferas da evolução se interpenetram. É comum trabalhar na esfera de cura e ter vislumbres de comunhão com o Divino, assim como também é muito natural estar trabalhando a ativação da consciência maior e ter pendências na esfera de cura.

A NOVA ERA E O CASAMENTO

Podemos dizer que o "Novo Casamento" é um ideal elevado de relacionamento, que tem como objetivo o despertar do amor incondicional. Pensando na importância desse tema, preferi usar o termo "Novo Casamento" no lugar de "Casamento da Nova Era", embora ambos possam ter o mesmo significado. O termo "Nova Era" poderia invocar certas ideias e imagens preconcebidas, o que impediria que muitos pudessem acessar esse tão profundo conhecimento, que por si só tem o poder de construir as bases daquilo que a humanidade tanto aspira: um mundo sem guerras, em que a harmonia, a paz e o amor reinam. Esse é um sonho possível de ser realizado somente por meio da cura dos relacionamentos e da compreensão da nossa natureza espiritual.

É importante compreendermos o significado do que chamamos de "Nova Era". Esse é o nome dado para a atual fase da evolução da consciência humana, a grande transição planetária que estamos vivendo. Esta é a principal característica desse novo tempo: transformação — do medo em confiança, do sofrimento em alegria, do egoísmo em verdadeiro altruísmo. Em outras palavras, significa transitar do paradigma materialista para a espiritualidade, compreendendo que ela nada tem a ver com atitudes e conceitos dogmáticos, verdades emprestadas, ou qualquer tipo de separação e exclusão. A verdadeira espiritualidade acolhe, une, recebe e engloba todas as expressões que promovem a possibilidade de reconexão da alma individual com o Absoluto — o poder criador do universo.

Nova Era é, principalmente, um estado de espírito, um movimento interno. Talvez, você esteja vivendo a Nova Era, pois sendo movido pelo amor e pela confiança, você já está vivendo esse novo tempo. Uma nova vida repleta de oportunidades, de infinitas possibilidades de realização, em todos os níveis, está se apresentando para você.

Essa transformação é inevitável. Em algum momento, você estará amando. Em algum momento, você compreenderá o significado maior da existência que se revela por meio do conhecimento espiritual. Mas esse trânsito, essa passagem, não é simples e linear. Ela requer constante renovação de votos. Você, que já ouviu o chamado do eu superior, que já se comprometeu em algum grau com o despertar do amor e já pode estar recebendo ensinamentos como este, precisará estar constantemente se renovando. Este é o principal atributo que poderá te ajudar a atravessar esse momento crítico que estamos vivendo: a capacidade de renovar-se a cada momento, de abandonar o antigo e renascer a cada instante.

Mas saiba que independentemente do seu movimento individual, a grande transição planetária está acontecendo e você faz parte dela. Está havendo uma mudança nas coordenadas do tempo. Já podemos perceber o mundo se transformando através de alguns sintomas, entre eles, a crise de sustentabilidade, o excesso de água em alguns lugares e a falta de água em outros, o aumento da consciência espiritual e, ao mesmo tempo, o aumento da miséria, da criminalidade e da desigualdade social. Além disso, também observamos manifestações populares que chegam carregadas de uma tremenda revolta. Esses sintomas indicam justamente que a Terra está passando por essa profunda crise, o que indica necessidade de mudança. A casa está desmoronando. Neste contexto, a casa simboliza o ego. No mais profundo, o ego está entrando em colapso e, aos poucos, a matéria está cedendo espaço para o espírito. Esse é o destino natural e inevitável da humanidade.

Precisamos aprender a conviver com o novo paradigma, lembrando de fazer nossa parte: purificar nossos corações do medo e do ódio. Porém isso não pode ser feito de uma forma moralista e estúpida. Estamos falando da necessidade de transmutar as formas de energia que habitam o planeta e nossos aparelhos psíquicos. Sabemos que uma forma inteligente de realizar essa transformação é, em primeiro lugar, identificar e aceitar essas forças, compreendendo-as, descobrindo suas raízes, estabelecendo relações de causa e efeito até possamos ver o medo e o ódio somente como formas de pensamento, e não mais nos identificarmos com eles.

E o que isso tem a ver com os relacionamentos? Tudo. Os relacionamentos afetivo-sexuais e sua expressão mais formal, o casamento, estão na base da sociedade. Portanto, a solução para todos os males da humanidade está na cura das relações, principalmente entre feminino e masculino. Com isso, podemos dizer que a chave para a transformação planetária encontra-se na sexualidade. Nesse sentido, o Novo Casamento possibilita um amplo campo para evolução através desse aspecto da consciência, cujo objetivo é unir eros (a força erótica), sexo e amor. Essa união traz consigo a semente para o florescimento da qualidade máxima: a verdadeira liberdade.

A reconversão da energia sexual é um dos aspectos do *parivartan*. Como já vimos anteriormente, por conta da repressão sexual, a energia vital foi bloqueada e distorcida, criando um elo entre a negatividade e o prazer. Falamos também sobre três importantes chaves para a reconversão: a identificação do prazer no desprazer e o estudo das fantasias e tendências sexuais. Foram transmitidas instruções para o início de um trabalho de cura, através da abertura dos portais de estruturação da consciência: mãe, pai e Deus. Com isso, já sabemos que a sexualidade vai muito além da união dos órgãos sexuais: ela é a movimentação da energia vital no seu corpo. Ela permeia e influencia toda a sua vida, pois é a expressão mais básica da própria vida.

Sendo assim, se você quer saber onde está a sua vida, olhe para a sua sexualidade. Se a sua sexualidade está imersa no mundo da fantasia, sua vida está nesse mesmo lugar. Se está reprimida, sua vida está reprimida. Se está se movendo em direção ao coração, sua vida está se movendo nessa mesma direção. É simples assim. Mas por conta da ignorância em torno do tema da sexualidade, devido aos conceitos equivocados da maior parte das religiões, ele pode se tornar complexo.

Repito: o principal veneno para evolução da consciência humana é a negação. Se a sexualidade está envenenada, a vida está envenenada, pois a energia sexual é a semente do amor, e o amor é a seiva da vida. Portanto, tenha coragem para encarar a sua sexualidade, pois ela te mostra onde você está e aponta os desafios que precisará atravessar na sua jornada.

SEXUALIDADE E TRANSCENDÊNCIA

Esse mundo começa com o sexo e termina com o sexo — você entra através dele e sai através dele. Volto a dizer: se você domina o sexo, você domina a vida. Lembrando que dominar significa transcender. Então, o sexo possibilita a transcendência da vida, e isso significa libertar-se do ciclo infinito de mortes e renascimentos, significa transcender o sofrimento e encontrar a felicidade eterna. Podemos utilizar alguns instrumentos que ajudam nesse processo, conforme já vimos no decorrer deste estudo, mas essa transcendência não pode ser fabricada com a mente; ela é um fenômeno que ocorre naturalmente.

Já transcender o sexo significa não mais precisar dele e fazer a energia sexual subir pela coluna através dos centros de energia sutil, conhecidos como *chakras*. No Yoga, essa energia é conhecida como *kundalini* e é representada pela imagem de uma serpente adormecida na base da coluna. Essa energia permanece dormente, porém latente, até que ocorra a purificação necessária para a sua ascensão. A ascensão da *kundalini* corresponde ao que chamamos de iluminação, que é quando a energia vital ascende até o topo da cabeça.

Existem estágios de ascensão. A *kundalini* vai despertando aos poucos, conforme a pessoa vai se purificando e tendo vislumbres da realidade espiritual. Ao longo do processo de ascensão, antes de alcançar o *sahasharachakra*, que fica no topo da cabeça, essa energia, que é a própria energia vital, vai promovendo a ativação das nossas virtudes maiores, ativando poderes, expandindo nossa consciência. Quando ela chega ao coração, esse já é um estágio bem avançado.

A transcendência total somente é possível quando atingimos a meta máxima do ser humano encarnado, que é a unificação dentro de nós dos princípios masculino e feminino. Mas como muito já estudamos neste livro, precisamos transmutar as energias distorcidas, através da cura das mazelas do passado. Em seu aspecto primordial original, o princípio feminino se manifesta como a receptividade e a aceitação, mas quando distorcido, transforma-se em submissão ou dependência. Já o princípio masculino, quando puro, se manifesta como força criadora e poder de realização. Distorcido, porém, ele se expressa como violência e agressividade. Essas distorções precisam ser reconvertidas para que o feminino e o masculino voltem a atuar no seu aspecto primordial e possam se encontrar dentro de nós, realizando, assim, o casamento alquímico, o matrimônio perfeito.

Quando essa alquimia interna ocorre, você se liberta da dependência do sexo, o que significa se libertar da dependência do outro, pois você encontra o que procura dentro de si mesmo. A necessidade de exercer domínio sobre o outro acaba e, por consequência, os jogos da luxúria desaparecem. Isso é transcendência.

Estamos falando de algo muito profundo. Não me refiro somente ao aspecto psicológico da luxúria, com seus jogos de manipulação e poder, mas a uma verdadeira entidade espiritual que precisa ser dominada enquanto ainda existe energia sexual. A luxúria contamina a energia vital e impede a ascensão. Por isso ela precisa ser dominada antes que a energia sexual entre em decadência, ou seja, quando você começa a envelhecer e naturalmente começa a perder o interesse pelo sexo. Isso significa que você tem um tempo limitado para realizar isso.

Nesse período de tempo, é preciso aprender a direcionar a energia sexual para o coração, para o amor, o que pode ser bastante desafiador, já que é justamente o que a luxúria quer nos impedir de fazer. Se não fizermos isso dentro desse tempo determinado, será preciso esperar a próxima chance, porque não haverá mais energia sexual para promover a ascensão nessa existência. Mas se você conseguir completar essa iniciação e se tornar senhor do sexo, aquele que dominou a luxúria, você tem acesso ao que eu chamo de "mundos superiores", nos quais já é possível sustentar a alegria e manifestar as primeiras notas da compaixão.

PONTES PARA A ASCENSÃO DA CONSCIÊNCIA

É preciso compreender que a transcendência é um fenômeno que não se pode controlar, pois não se pode controlar a entrega. O despertar da consciência amorosa é um processo gradual que ocorre por meio do autoconhecimento e a partir da purificação espiritual. O que podemos fazer é utilizar instrumentos, técnicas e ferramentas que preparam o terreno para a entrega e para a ação da graça divina e que devem ser utilizados de acordo com a personalidade e com o momento no qual cada um se encontra.

Costumo utilizar ferramentas do Yoga e do Tantra. Para alguns, a abordagem do Yoga é a mais adequada; para outros, recomendo o Tantra, mas todos os caminhos levam ao mesmo lugar: o testemunhar, a arte de não se identificar com os jogos da natureza inferior.

Um instrumento não é melhor ou superior ao outro. Uma medicina não é melhor do que a outra. Elas serão úteis dependendo da necessidade de cada um. A técnica é uma ponte, mas a ponte não é a nossa casa. Em algum momento, vamos precisar ir além da técnica. Eu falo de Yoga e de Tantra, porque isso ajuda muitas pessoas, mas chega um momento no qual não precisamos mais disso. Estamos falando de caminhos — caminhos de volta para casa. É importante lembrar que os caminhos ainda não são nossa casa, eles apenas nos levam para lá.

Ao identificar a atuação da natureza inferior nas diversas áreas de nossa vida, começamos a praticar o testemunhar, que é sinônimo de auto-observação desapegada. Primeiro, identificamos e reconhecemos os jogos e os observamos. Depois, praticamos o desapego, o que faz com que tais jogos desapareçam por completo. Esse é o objetivo das práticas do Yoga, quer seja o *Hatha* Yoga (prática física) ou o *Jñana* Yoga (conhecimento e discernimento): elas visam ao fortalecimento do observador desapegado. Se podemos apenas observar o eu psicológico que está atuando, sem nos identificarmos com ele, os caminhos começam a se abrir e começamos a ter notícias do êxtase. Se observarmos as nuvens e não nos identificarmos com elas, procurando focar no espaço vazio entre elas, começamos a ter vislumbres do céu.

O Yoga nos ajuda a ampliar a força da vontade consciente através de austeridades inteligentes, o que envolve esforço. No início da jornada, esse esforço é necessário, porque a mente tende a apontar seus vetores para infinitas direções, ou seja, a força da vontade não está focada. A mente se conecta com os objetos externos que estimulam os sentidos e se perde neles. Isso provoca cada vez mais estímulos, que se transformam em pensamentos, criando um mundo na mente a partir deles — um mundo de imaginação e fantasias. Mas a base do Yoga ensina que a iluminação começa quando cessa a imaginação. Então, precisamos recolher a mente e apontá-la para uma só direção. Esse direcionamento se chama *dharana* — concentração. Portanto, o Yoga tem como objetivo último propiciar *dharana*, porque somente através dela sua mente pode aquietar-se. E, quando a mente se aquieta, você experiencia a unidade.

O caminho do Tantra é diferente. O Tantra nos leva à experiência da unidade por meio da espontaneidade e da entrega. A observação focada também é utilizada, mas muda a abordagem. Nessa visão, tudo é sagrado. Se somos humanos, é do humano que devemos começar. Se somos seres sexuais, é com essa energia que iremos trabalhar, apenas tomando cuidado para manter a presença e não cair nas armadilhas da luxúria. As técnicas utilizadas dentro da abordagem tântrica abrem espaço para qualidades como inocência e aceitação.

Muitas das linhas do Tantra são ricas em técnicas e rituais que emprestam elementos do Yoga, mas, na essência, Tantra é o caminho da espontaneidade. Muitos o compreendem como um conjunto de técnicas sexuais, mas o Tantra é um fenômeno que está muito além do sexo — é uma via em direção ao Eterno. Dependendo do ângulo que você olha, é um caminho oposto ao Yoga, porque nele, você não determina um horário fixo para meditar nem realiza austeridades. Você simplesmente se entrega ao fluxo do coração e vai aonde ele te leva. Essa expressão do Tantra é a suprema compreensão, é o caminho da transcendência.

Porém os caminhos não são opostos, eles se entrelaçam, unindo forças para alcançar o mesmo objetivo. O Tantra é um fruto maduro do Yoga. Não existe um momento determinado para você começar a praticar Tantra, porque não é possível determinar quando uma flor vai nascer. O amadurecimento de uma fruta é um fenômeno natural, orgânico. Ao mesmo tempo, como o ser humano passou por séculos e séculos de repressão sexual, o Yoga (por trabalhar com a disciplina e com a contenção da energia sexual) pode acabar fortalecendo a repressão.

Hoje em dia, muito se fala sobre Yoga e Tantra, mas, de fato, poucos realmente conhecem a essência dessas disciplinas. Tenho visto muita loucura e manipulação em nome desse conhecimento. É preciso estar sempre atento às armadilhas do ego. Em um certo estágio da jornada, realmente será necessário nos abstermos dos objetos que estimulam os sentidos, dentro de um trabalho para disciplinar a mente. Mas se a pessoa ainda se encontra em um estágio em que carrega sintomas de repressão sexual, esse recolhimento do mundo pode fortalecer a repressão.

É importante, no entanto, salientar que o verdadeiro Tantra somente poderá se manifestar quando a purificação dos corpos mental, emocional e espiritual estiver completa. Enquanto essa purificação não se completar, o florescimento da espontaneidade plena não será possível, pois a relação ainda é um campo de batalha, e o sexo é um instrumento de domínio sobre o outro.

Certa vez, um rapaz veio pedir orientação para mim, pois, apesar de almejar viver a sexualidade tântrica, ele tinha muita dificuldade de se relacionar. Ele tinha medo do relacionamento e se sentia culpado por ainda manter o hábito da masturbação e outras compulsões. Então, eu disse: "para que você possa dar um passo em direção ao feminino, primeiro esqueça o sexo tântrico." Isso porque ele deve acontecer naturalmente, e a maioria das técnicas e dos métodos tântricos acabam se tornando instrumentos da luxúria. O verdadeiro Tantra floresce da união entre eros, sexo e amor. Mas para que a flor possa brotar, a semente tem que ser plantada. Essa semente é o sexo normal. E para que você possa ter uma relação normal e saudável, será preciso identificar e transformar o ódio pelo sexo oposto, que pode se manifestar de diversas maneiras.

Podemos dizer que o Tantra é também o caminho da liberdade, pois é um instrumento que possibilita a transcendência. Mas é importante, novamente, salientar a diferença entre a verdadeira liberdade e a variedade. Tantra não tem a ver com variedade (o que gera desperdício e dispersão de energia), mas sim com aprofundamento na intimidade e direcionamento da energia sexual. Portanto, o verdadeiro Tantra só pode ser praticado quando você está disposto a realmente se entregar na relação com alguém.

A prática do Tantra no casamento só pode ocorrer entre duas pessoas que já avançaram no processo de purificação já descrito de várias maneiras neste livro e que estão realmente dispostas a despertar o amor através do outro. Ou seja, duas pessoas que compreendem que o relacionamento é apenas uma passagem, um caminho que leva à transcendência do sexo. Duas pessoas que sabem que, em algum momento da jornada, terão que seguir sozinhas, já que transcendência também é sinônimo de independência total do outro.

A partir desse ponto, entramos na esfera do *brahmacharya* solar, que é o despertar natural do celibato. Se o Tantra é um florescimento, o *brahmacharya* é o supremo florescimento. Existe uma profunda relação entre o Tantra e o *brahmacharya*, o que, para muitos, pode parecer paradoxal, pois têm uma compreensão equivocada a respeito desses conceitos. No *brahmacharya*, assim como no Tantra, não existe oposição a nada, nem mesmo ao sexo. O verdadeiro *brahmachary* não se importa em ver o outro nu, pois ele não está vendo o corpo. Para ele, não há diferença entre homem e mulher. Nesse estágio, toda sua energia é direcionada para a ascensão. Ele está pronto para se tornar um canal puro do amor incondicional e do altruísmo.

O CASAMENTO E O FIM DE EROS

Esses conceitos são bastante elevados e precisam ser estudados com profundidade, mas é preciso lembrar que tudo começa com vassoura, sabão em pó e detergente, para limpar crenças, conceitos e todas as formas limitadas de compreensão do relacionamento que se encontram no nosso sistema. Por isso eu sinto que, antes de falar mais sobre tudo isso, é preciso ainda reforçar e colocar luz em alguns aspectos do velho casamento. No velho modelo, ao buscar um relacionamento, queremos alguém que possa reafirmar a falsa ideia de quem somos. O outro funciona como um espelho que reflete a sua realidade. Então, paramos em frente ao outro e perguntamos: "espelho, espelho meu, existe alguém mais belo do que eu?" E a resposta que esperamos é: "não, minha rainha (ou meu rei). Você é a pessoa mais bela desse mundo". Mas quando o espelho responde: "sim. Branca de Neve é mais bela", nós, que estávamos cheios de romantismo, nos transformamos em feras. Basta receber um "não" que o ódio ressurge das profundezas e queremos crucificar o outro.

É por isso que, no modelo antigo de casamento, não há espaço para a verdadeira celebração; somente para a alegria passageira que nasce da satisfação do ego (quando recebemos o que queremos). O velho casamento tem sido um jogo, cujo objetivo é forçar o outro a dizer "sim" para nós, mesmo que esse "sim" reafirme a nossa miséria. Queremos que o outro confirme nossa falsa ideia do eu. Mas dentro de um relacionamento, é impossível sustentar essa mentira por muito tempo. Em algum momento, as máscaras começam a desmoronar.

Nesse modelo, o outro é também um canal de expurgo do nosso ódio. Estamos carregados de ódio e vingança e precisamos de alguém em quem descarregar essa energia. Caso contrário, implodimos. O outro é um canal de alívio, é alguém para torturarmos. E isso, muitas vezes, é disfarçado de amor. Dizemos "eu te amo", mas tiramos todo o poder do outro fazendo ele se sentir inseguro, inferior. Fazemos com que ele não acredite no seu próprio poder. Somos infelizes e queremos alguém para botar a culpa. Então, projetamos todo o nosso ódio no outro, e o casamento se transforma em um campo de batalha, através do qual podemos, no máximo, reeditar nossas feridas infantis.

Paradoxalmente, o principal obstáculo para a cura do ódio entre os sexos é a instituição do casamento ou, para ser mais preciso, é a idealização do casamento e da família. Isso é o que impede que o amor exerça sua meta de unificar o masculino e o feminino. Em vez de promover a união, o casamento tem sido o principal inimigo do amor, porque a força erótica que nasce quando os amantes se encontram, e que é o combustível para a realização dessa meta, geralmente morre quando eles se casam. Isso ocorre porque, aparentemente, realizamos a nossa fantasia de ser o único e eterno proprietário do outro.

Recebemos a bênção de um sacerdote para "adquirir" o outro, e este passa a ter a obrigação de atender aos nossos caprichos. A obrigação, a rotina da convivência diária e a acomodação acabam com a força erótica. Eros é a paixão, ela vive do mistério, do desvendamento constante da alma. Ao casar, nós nos acomodamos e passamos a acreditar que não há mais nada para desvendar ou conquistar, assim como não há mais nada a revelar. Porém o mistério é incentivado e ampliado quando existe vontade de conhecer o outro. Uma das coisas que faz eros se recolher é acreditarmos que já sabemos tudo sobre o outro. Assim, perdemos o interesse por ele e, por consequência, a motivação de nos descobrirmos através dele.

Normalmente, isso acontece porque a relação esbarra em algum ponto que ativa a vergonha, ou seja, quando ela pede a revelação de algum aspecto da nossa personalidade que não queremos mostrar a ninguém, nem a nós mesmos. Assim, o canal da revelação se fecha. Mas o alimento de eros é a revelação. Quanto mais nos revelamos e acolhemos a revelação do outro, mais eros cresce.

Eros só poderá atingir sua meta de realizar o amor se houver disposição de ambos para encarar os aspectos sombrios que podem vir à tona na relação. Portanto, se não estamos dispostos a lidar com a sombra, eros vai se recolher. Lidar com a sombra significa não ter medo de se revelar, de nos mostrarmos para o outro.

A principal desculpa usada para não realizar a integração da sombra, geralmente, é a mágoa e o ressentimento. Tomados por esses sentimentos, nos fechamos e perdemos a admiração pelo outro. Assim, aos poucos, eros morre de fome, e nós acabamos indo procurar outra pessoa. Ou ficamos com a mesma pessoa, esperando a morte chegar.

Muitas vezes, abordo esse assunto de forma bastante dura, porque vejo o quanto tais padrões e condicionamentos têm destruído as possibilidades de realização do amor. Com isso, fica claro que, se aspiramos nos unirmos ao outro através do Tantra, será necessário nos libertarmos desses antigos condicionamentos e nos abrirmos para uma relação em que a honestidade e a liberdade estão em primeiro lugar, em que existe real disposição para conhecer a nós mesmos, através do outro.

Apesar de tudo, eu sinto que as distorções do velho casamento também precisam ser acolhidas, porque esse antigo modelo, baseado no medo, tem algo a nos ensinar. O medo tem seu papel na psique humana. É importante compreender a necessidade de segurança que se manifesta de tantas maneiras dentro da relação, mas também na idealização do casamento e da família. Tudo isso nasce do medo. É importante compreender *quem* em você quer se casar, *quem* em você quer ter uma família. *Quem* em você está com medo de se revelar? A *quem* você quer agradar? Essas questões podem estar tão misturadas dentro de você que não é possível saber ao certo o que sua alma deseja.

Se você tem dúvida se casa ou se compra uma bicicleta, experimente ficar um pouco sozinho. Procure meditar para identificar *quem* em você está querendo ir para a direita ou para a esquerda. O que te move na direção do outro? Talvez, você não tenha condições de saber. Talvez, seja bom casar e se permitir viver essa experiência. Qual é o problema de errar? Você pode estar certo. A entidade humana em evolução, de fato, cresce quando se abre para a vida e se entrega para subir e descer, levantar e cair, pois é assim que se aprende. Mas você só poderá realmente evoluir nessa senda quando souber o que te separa do outro, o que destrói a sua capacidade de criar união.

REVELANDO E RENOVANDO EROS

No processo de florescimento do Tantra, o casal poderá passar por muitos balanços e desafios. Não é tão simples realizar a transição do velho para o novo quando nosso sistema, tanto enquanto indivíduos como enquanto sociedade, encontra-se tão viciado no sofrimento. Mesmo tendo evoluído na purificação e transformação dos aspectos sombrios da personalidade que impedem a abertura do coração, os parceiros que aspiram realizar o Novo Casamento precisarão estar sempre renovando seus votos com o amor, o que significa principalmente cultivar valores como a autorresponsabilidade e a honestidade, mantendo acesa a chama de eros.

Mas como resgatar e renovar eros na relação? Em primeiro lugar, é preciso cultivar a admiração pelo outro e abrir mão das próprias mágoas e vergonhas. Como já vimos, eros vive na intimidade da revelação. Se você quer mantê-lo vivo, é preciso dar um passo em direção à intimidade.

Para ajudar o casal nesse processo, sugiro que os parceiros se comprometam em reservar pelo menos um horário da semana para um encontro lúdico, no qual eles se permitem sair da rotina e usar da criatividade para proporcionar ao casal um momento diferente, de cultivo do namoro e da amizade. A rotina é, sem dúvida, o pior inimigo de eros, portanto, é importante que esse encontro possa ser justamente a oportunidade de quebrar com ela. Nesse dia ou horário, os parceiros deverão se resguardar de qualquer interferência externa, obrigações ou tensões.

Apesar desse encontro, de certa forma, acabar virando uma rotina, já que haverá um compromisso semanal, ela deverá ser sempre quebrada com algum elemento novo. O encontro deverá acontecer independentemente de qualquer perturbação (briga, fechamento, estranhamento) que possa estar ocorrendo na relação, mas se esse for o caso, o casal deverá fazer uso desse tempo para realizar um exercício.

Exercício de revelação

Numa atmosfera de tranquilidade, procurem sentar diante um do outro, olhando nos olhos, e comecem a respirar juntos. Procurem, então, trazer à consciência e observar aquilo que você tem medo de revelar para o outro por alguma razão. Observe esses segredos e porque você os mantém guardados. Identifique o que te impede de ser transparente e íntegro com o outro. Veja se você tem condições de se abrir e se revelar. Ao mesmo tempo, veja se o outro tem condições de receber a sua revelação, a sua verdade.

Tudo isso você faz sem julgar, sem condenar, criticar ou cair na dor das suas próprias mazelas: insegurança, controle, medo etc. Então, na medida do possível, a revelação poderá acontecer. Na medida em que você se sente seguro, abra-se um pouco mais, revele-se um pouco mais.

Esse é um precioso exercício para os parceiros que aspiram realizar o Novo Casamento. Ele também poderá ser realizado a qualquer momento, caso seja necessário. Sempre que se perceber fechado ou magoado, chame o outro, sente-se diante dele, olhe nos seus olhos e fale de você. Fale de suas mágoas e inseguranças. Nunca faça isso com o objetivo de acusar o outro, mas sim com o objetivo de realmente se mostrar e de admitir seus medos, suas imperfeições. Transparência e honestidade são ingredientes fundamentais para o cultivo da verdadeira intimidade e para o fortalecimento de eros. Porém é importante estar atento para saber quando é o momento certo para a revelação. Se ambos não estiverem prontos para isso, as consequências poderão ser desagradáveis. A honestidade, quando é fruto da consciência amorosa, não machuca. A verdade, quando nasce do coração, sempre se expressa com gentileza e compaixão. Esses são valores de ouro no caminho do Tantra. Para que a revelação possa trazer benefícios para a relação, ambos precisam ter estrutura emocional para segurar o que pode surgir. É preciso haver um certo grau de maturidade.

Se puderem manter-se atentos, presentes, observando as dificuldades que surgem na relação, e sempre fortalecendo o compromisso com a transformação e com o amor, o resgate de eros estará garantido. Mas é importante dizer que esse resgate só é possível se eros ainda não mudou de endereço, ou seja, se você ou o seu parceiro ainda não se apaixonaram por outra pessoa. Enquanto a mala está pronta para partir, ainda é possível. Através da revelação, enquanto o fogo erótico ainda não tiver apagado completamente, ainda é possível. Vai dar trabalho: limpar o coração, derramar lágrimas não derramadas, colocar para fora protestos não enunciados, arrumar tudo. Dá trabalho, mas é possível acordar eros de novo, se houver vontade e disposição. Porém se eros já tiver encontrado outro lugar para morar, não tem mais jeito.

Alguns casais, depois de um tempo de separação, acabam voltando a ficar juntos, mas, nesse caso, é como se fosse uma nova relação. Eles já tiveram tempo para elaborar, compreender e perdoar. Já tiveram a oportunidade de viver o que precisavam viver fora do relacionamento. Através do novo, eros reacende.

Eu diria que somente esse novo modelo de relacionamento é capaz de sustentar a força erótica dentro do casamento. Isso porque nele existe uma real disposição para revelar-se e receber a revelação do outro, mesmo que isso possa ser doloroso. Talvez, esta seja a melhor forma de definir o Novo Casamento: nele, não há mentiras ou segredos. Ao contrário, há um constante compromisso com a transparência e com a verdade. Tudo é colocado às claras, pois ambos estão determinados a superar a sombra.

O Novo Casamento vai muito além da cura e da purificação. Nele, a honestidade e a autorresponsabilidade são valores primordiais. Nessa relação, existe um cultivo consciente da reciprocidade, que é manter o coração aberto mesmo quando o outro diz "não", e também poder dizer "sim" quando o outro resolve dizer "sim" para você. Em outras palavras, você deixa de cair na armadilha da vingança. Essa é uma forma de sustentar o bom da relação — uma forma de aprender a sustentar o êxtase.

Essa relação inclui também a capacidade de ver o potencial adormecido do outro e de dar força para ele despertar. Inclui a capacidade de perceber a luz do outro e de ajudá-lo a manifestar essa luz no mundo, ou seja, inclui querer ver o outro brilhar. Essa união envolve todos os níveis de expressão do Ser: espiritual, emocional e físico, o que permite que o sexo seja um ritual sagrado, criativo, que se renova a cada encontro.

UM CAMINHO PARA A RENÚNCIA

Talvez, o principal ponto a ser compreendido para nos ajudar mais objetivamente a transitar para essa nova fase, para esse casamento espiritual, é que você não pode ficar com o outro se não puder ficar consigo mesmo. Se você quer realmente transitar do velho para o Novo Casamento, é preciso aprender a se observar, a meditar, a ficar só.

Lembro de uma passagem que li num livro sobre Tilopa, um mestre do Tantra budista. Ele viveu numa época em que a iniciação era para poucos. Em uma ocasião, ele estava retirado em um templo no alto de uma montanha, e um homem foi até ele para pedir iniciação. Ao ouvir o pedido, Tilopa olhou bem para ele e perguntou: "e toda essa multidão que você está trazendo?" O homem olhou para trás e não viu ninguém. Tilopa disse: "olhe para dentro". Então o homem fechou os olhos e viu sua mulher, seus filhos, seus amigos, todos chorando porque ele havia partido. Então, Tilopa falou: "volte. Eu não inicio multidões, inicio indivíduos".

A solidão é uma condição para a autorrealização. Essa é uma questão que precisa ser profundamente compreendida, para que não haja erro de interpretação. A solidão ou a renúncia (da família, do casamento, dos filhos, do mundo) é um dos aspectos da entrega espiritual. Em algum momento da jornada, isso acontece naturalmente. Na Índia, isso é muito comum. Em determinado estágio da vida, a pessoa abandona a família, o trabalho e os filhos e se retira do mundo. Trata-se de uma prática muito antiga, baseada nas escrituras védicas, que já é parte da cultura. Porém não podemos simplesmente copiar esse modelo, pois a estrutura mental de um ocidental é completamente diferente da estrutura de um oriental.

Vejo que, nos dias de hoje, existe a necessidade de uma espiritualidade prática, ou seja, uma espiritualidade que possa ser facilmente aplicada à realidade diária das nossas vidas. Como falar em renúncia e solidão no contexto de vida no qual estamos inseridos hoje? Se compreendermos que não existe outro mundo, a não ser aquele que criamos com nossa própria mente, essa questão poderá ficar mais clara.

Qual é a diferença entre o mundo criado pela mente e o mundo dos nossos sonhos? Nenhuma. Não existe apenas um mundo, existem tantos mundos quanto existem seres humanos. Cada um cria o seu próprio e sai por aí interagindo com os mundos dos outros. Às vezes, os mundos se chocam, às vezes, se fundem. O mundo no qual você vive foi criado pela sua imaginação e corresponde à sua ideia do *eu* e *meu*. Criamos uma realidade própria e particular na medida em que vamos nos identificando com objetos e conceitos no mundo: *meu* corpo, *minha* história, *minhas* relações, *minhas* ideias, *minha* casa etc. Isso é o que chamamos de *maya*, um mundo ilusório e transitório projetado pela mente. Então, de que adianta renunciar ao mundo externo, se você carrega esse mundo dentro de você?

Quando falo na renúncia ou na solidão como uma condição para a autorrealização ou liberação da ilusão, estou me referindo à renúncia dessa ideia de eu e meu. Não é possível se libertar da ilusão, da falsa ideia de quem somos, simplesmente fugindo do mundo lá fora. O mundo está dentro de você. A renúncia, portanto, é interna. Você pode estar dentro de uma caverna carregando a cidade inteira dentro de você, ou pode estar na cidade e ter a caverna e as montanhas dentro de você, o que, em outras palavras, quer dizer que você conquistou equanimidade mental. Mas esse estágio no qual o seu silêncio interno não se abala com o intenso barulho externo é uma transcendência, ou seja, é um fruto maduro da árvore da consciência. Assim como não se pode forçar o amadurecimento da fruta, não se pode forçar essa equanimidade, esse nível de renúncia.

Fugir do mundo e das relações é uma forma de forçar o amadurecimento e também de reforçar a repressão sexual. Costumo dar o exemplo da criança que brincou o suficiente com o brinquedo e já não quer mais brincar. Ela não deseja brincar, mas também não se opõe ao brinquedo. Isso é uma transcendência. Mas se o brinquedo está ali e você ainda tem vontade de brincar, mas deixa de fazê-lo por alguma razão e até se opõe a ele, isso é repressão. Nos dois casos, o resultado visível é o mesmo: não brincar. Mas ao reprimir o desejo, ele aumenta, porque tudo que é proibido é desejado.

Então, a repressão vai dar muito mais trabalho. O caminho não é a repressão, é a transcendência.

É possível que, em algum momento, precisemos fazer um período de austeridade inteligente, ou seja, talvez, precisemos fazer um esforço consciente e renunciar a alguma coisa (um apego, um mau hábito). Nesse caso, não seria uma fuga, mas sim um exercício de descondicionamento da mente viciada, que nos ajudaria a ampliar a consciência e a preparar o campo para a verdadeira renúncia.

Renunciar não é fugir. Não é possível transcender o mundo fugindo da vida, mas sim vivendo a vida. Vivendo com presença e consciência, mas vivendo. Ao fugirmos, criamos tensão. Quem está em fuga não consegue relaxar. Nos tornamos rígidos e vivemos com medo de que, a qualquer momento, esse mundo do qual estamos fugindo nos pegue. Mas esse mundo está dentro de nós, e, portanto, tememos ceder aos nossos próprios impulsos. Se vivemos com medo, não é possível manifestar uma das qualidades mais importantes na esfera da entrega espiritual: a confiança. Se nosso sistema estiver tenso por estar constantemente se opondo ao mundo, não é possível relaxar e nos esvaziar de ideias, pensamentos, conceitos, crenças e condicionamentos.

A chave para a entrega que propicia a transcendência da renúncia é permanecer completamente relaxado, natural e espontâneo. Isso só é possível quando já alcançamos um grau elevado de desapego — desapego do mundo criado pela nossa própria mente, desapego das ideias do eu e meu. Somente assim é possível nos tornarmos vazios, para sermos preenchidos pela graça.

O relacionamento, mais especificamente o Novo Casamento, tem um papel muito importante no processo da entrega espiritual. Ele é a ponte para o autêntico celibato, que é quando nos libertamos por completo da dependência do outro. Porém compreenda que você pode ser independente do outro mesmo estando casado com ele. Alguns mestres espirituais alcançaram a meta da autorrealização dentro do casamento e permaneceram nele. Isso porque a liberação é a liberação da mente. Então, você se torna livre, independentemente da maneira como vive no mundo.

Para muitos, esses conceitos soam bastante herméticos, o que pode gerar ansiedade ou até mesmo uma sensação de impotência diante da impossibilidade de compreendê-los ou realizá-los. Mas é importante lembrarmos que não estamos falando de metas inatingíveis; estamos falando sobre o processo natural da evolução da consciência humana. Naturalmente, estamos nos movendo nessa direção. Devemos nos lembrar da importância de nos mantermos relaxados e espontâneos e de manter práticas espirituais coerentes com nossa vida cotidiana.

Dependendo da sua realidade atual, seria um tanto insensato considerar a possibilidade de se tornar um *brahmachary*, por exemplo. Até porque, o celibato, como é praticado em diversos *ashrams* da Índia, é um caminho para poucos. Raras almas vêm ao mundo com esse programa específico. E isso não quer dizer que elas sejam mais ou menos evoluídas, quer dizer apenas que elas nasceram com esse propósito. Inclusive, é relevante considerar que muitos dos jovens que se tornam celibatários o fazem sem ter experimentado o sexo. Eles, muitas vezes, estão apenas cumprindo com um programa social e não estão realmente prontos para essa renúncia. Nesse caso, é muito provável que os sintomas da repressão sexual se agravem ainda mais. Não é à toa que o número de estupros e de abusos sexuais tem aumentado de forma alarmante na Índia.

Outro exemplo muito comum é a distorção dos ensinamentos tântricos, o que faz com que pérolas do conhecimento facilmente se transformem em armadilhas de dominação e indulgência sexual. Quando as práticas tântricas se tornam compulsivas, até mesmo dentro do casamento, significa que a luxúria se apropriou dos ensinamentos.

Esses são aspectos do caminho espiritual sobre os quais se deve meditar. As técnicas e metas não devem servir de alimento para o desejo — mesmo que esse desejo seja pela liberação. O ego é muito esperto e se apropria até das nossas melhores intenções. Facilmente passamos a andar na contramão. Ele nos desvia da meta e nos aprisiona cada vez mais às teias do *karma*.

APRENDENDO A SUSTENTAR O ÊXTASE

O caminho de que trato neste livro é longo e, muitas vezes, difícil, cheio de desafios. Por isso é importante sabermos onde nos encontramos nessa jornada, para sabermos quais serão os próximos passos a serem tomados. É preciso ter coragem para nos conhecermos e determinação para arregaçar as mangas e fazer o que tem que ser feitoa cada fase do processo. Pouco a pouco, estaremos prontos para desfrutar de um Novo Casamento, em que a relação se torna um instrumento de comunhão com o Divino e que os parceiros começam a acessar estágios mais elevados de consciência.

Os parceiros que amadureceram suficientemente para abrir mão dos pactos de vingança e dos jogos de acusação poderão ampliar cada vez mais sua capacidade de criar união se puderem identificar as pequenas atitudes e pensamentos que ainda reduzem a energia na relação e os impedem de permanecer em harmonia. Além disso, o casal poderá realizar alguns exercícios que ajudarão a sustentar a energia elevada, o que, de maneira geral, tenho chamado "chaves para a sustentação do êxtase".

O êxtase é a linguagem do Ser, a linguagem da unidade. Mas essa linguagem foi esquecida. Estamos aqui neste planeta justamente para reaprender essa linguagem, para ativar essa memória ancestral, para podermos permanecer no êxtase. No caso do êxtase místico alcançado na experiência do samadhi, permanecer significa poder retornar a esse estado — porque, estando encarnado, não é possível ficar 24 horas por dia no êxtase. As almas que já alcançaram algum grau de iluminação conseguem retornar a esse lugar quando querem.

Quando falo de sustentação do êxtase dentro do casamento, estou me referindo a dois aspectos, dois lados da mesma moeda. Um deles é poder permanecer em harmonia, amizade, união e alegria no relacionamento como um todo. O outro lado é poder sustentar o prazer, direcionando a energia para o coração, dentro do próprio ato sexual, o que pode levar os parceiros a terem vislumbres do êxtase místico.

A relação sexual tântrica, quando realizada entre parceiros que já puderam evoluir no processo de purificação e cura das feridas infantis, possibilita que o casal tenha momentos de bem-aventurança. Lembrando que estamos falando de um outro nível de relação, um casamento espiritual, no qual a amizade, a reciprocidade, a cumplicidade, a intimidade e a liberdade são princípios constantemente cultivados. Num encontro como esse, o ato sexual se torna um ritual sagrado, uma prece ao Divino — uma forma de experienciar a Unidade através da fusão do feminino com o masculino.

Estamos falando de um encontro entre dois centros, não de um encontro superficial entre dois corpos. Este é um fenômeno muito precioso e profundo, que deve ser reconhecido como tal. Nossa cultura, ao mesmo tempo, reprime e banaliza o sexo, uma postura esquizofrênica que resulta nas mais diversas perversões e transforma a sexualidade em um produto a ser consumido em larga escala. Porém não estou me referindo a esse tipo de sexo. Estou falando de um poderoso instrumento, um veículo da graça divina, uma porta para os mundos superiores, capaz de transportar os amantes para estados elevados de consciência. Mas a sacralidade desse ato só pode ser reconhecida quando o amor já está desperto em algum grau.

Para os casais que buscam ampliar o prazer e sustentar a vibração energética elevada durante o sexo, algumas dicas ou chaves podem ser de grande valia:

A primeira delas é a **constância na presença**. O êxtase só pode se manifestar no agora, por isso o encontro sexual deve ocorrer sempre a partir da presença. Isso significa que deve haver integridade ou totalidade na ação: estar com mente, corpo e alma imersos no momento do encontro. A partir dessa presença, ambos se permitem observar e sentir a energia que circula entre eles de forma relaxada, sem querer dominar, controlar ou chegar a lugar algum.

Aqui entra outra importante chave: a **renúncia das expectativas**. É preciso aprender a navegar na sabedoria da incerteza. Isso significa não imaginar ou se prender a um desfecho determinado para as situações. Quando não espera que as coisas aconteçam de uma certa maneira, você se abre para o campo das infinitas possibilidades. Essa chave é muito importante, porque nos liberta da necessidade de ter que chegar em algum lugar dentro do relacionamento, especialmente dentro do ato sexual.

Porque existe uma crença, um condicionamento profundamente arraigado, de que é obrigatório chegar ao orgasmo. Isso, naturalmente, gera uma ansiedade e uma pressa em alcançar o ápice da excitação, até o ponto em que não é mais possível voltar, em que é inevitável a explosão da energia através do orgasmo. Muitos, inclusive, se sentem frustrados por não conseguirem chegar ao orgasmo com facilidade. Sem nos aprofundarmos nesse aspecto, sugiro ao casal que está buscando viver uma experiência tântrica que procure se libertar dessa meta estipulada pela mente coletiva, que é a necessidade terminar o ato sexual com um orgasmo.

Estando presentes, abertos, atentos aos sinais que se manifestam na interação de energia entre os dois e, principalmente, livres da obrigação do orgasmo, é possível perceber que a *kundalini* cresce e oscila, sobe e desce. O fogo aumenta e diminui, até que um outro tipo de êxtase, um outro tipo de orgasmo possa se manifestar — um orgasmo sutil, interno, sem ejaculação, no qual não há perda de energia. Não há ejaculação, mas ocorre um orgasmo. O ego sai de cena, a mente silencia. Aqui é a hora de parar e começar a se recolher. Nesse momento, sugiro que os parceiros se sentem um ao lado do outro para meditar.

No ritual tântrico, a **meditação** tem um papel muito importante. Eu diria que é uma chave mestra, pois ela integra e harmoniza a energia, criando uma sintonia luminosa entre os parceiros. Mas essa meditação é diferente daquela que você realiza no seu *sadhana* (prática espiritual diária). O *sadhana* é uma prática individual, que cada um faz do seu jeito e no seu ritmo. A meditação, neste caso, visa unir sexo e amor. Ela é feita nesse momento específico que o casal escolhe para explorar a sexualidade. Então, no final do ato sexual, enquanto ainda estão unidos, desnudos, procurem fechar os olhos e sincronizar a respiração. Aos poucos, a energia vai se recolhendo dentro de cada um, e, lentamente, vocês se preparam para sentar e meditar por um período. O tempo dessa meditação não precisa ser determinado. Permaneçam de olhos fechados, observando o vazio entre os pensamentos, até sentirem que é hora de parar.

Ainda nesse assunto, dois pontos precisam ser levados em consideração. Quando você inicia esse estudo, essa experiência tântrica com seu parceiro, esteja atento para as armadilhas do ego. Uma delas é a tendência de cair na indulgência, compulsão ou exagero. Você dedica um tempo para a sexualidade e para o relacionamento, mas reserva também um tempo para si. Até mesmo para essa prática sem orgasmo ou ejaculação deve ser estipulado um período ou uma frequência. Talvez, uma vez por semana seja um bom começo.

Sinto que isso é importante, porque é fácil se perder. É positivo estabelecer limites e metas. De qualquer maneira, mesmo dentro dessas metas acordadas e estabelecidas entre os parceiros, você segue buscando o relaxamento e a espontaneidade. Esse é um sábio encontro entre Yoga e Tantra.

Outra questão a ser observada em relação à essa prática na qual você busca chegar ao pico do prazer sem ejacular é a tendência de cair na armadilha da culpa. Muitas vezes, realmente, não é possível chegar a esse ponto sem consumar o orgasmo. Isso é perfeitamente normal, não se culpe. Considere o orgasmo como um puja (uma oferenda) para o masculino ou para o feminino e recomece a prática no dia seguinte.

A LIBERDADE DE AMAR

Aqui chegamos ao final desse estudo, em que tivemos a chance de conhecer e compreender mais profundamente os relacionamentos. Eu sinto que se você foi tocado a ponto de, pelo menos, se abrir para a compreensão da sacralidade desse instrumento divino (divino porque, como pudemos ver, é instrumento de ascensão e liberação), isso é uma grande vitória. Porque a partir desse reconhecimento, um templo é criado dentro de você. Um templo de amor, em que a relação sexual é sagrada, e no qual você entra em silêncio e respeito. Se essa semente foi plantada, jamais você verá o sexo e o relacionamento da mesma maneira que via antes.

Este livro é uma das sementes que estou plantando no mundo com o intuito de despertar o amor — é o amor resgatando a si mesmo. A partir desse conhecimento, encontramos meios e forças para realizar essa tarefa que, em última instância, é a nossa missão na Terra. Se existe um remédio para esse mundo, esse remédio é a compaixão. E a compaixão é um transbordamento do amor. O amor é uma flor, e a compaixão é o perfume dessa flor. E a semente da flor é o sexo. E se a semente está contaminada pelo ódio e pelo medo, a flor do amor jamais poderá desabrochar.

Em muitos lugares por onde passo, quer seja no Oriente ou no Ocidente, tenho visto a angústia das pessoas por conta desses temas ligados ao relacionamento. É muito urgente e necessário iluminar tais questões. Se nossa intenção é despertar o amor e estimular a cultura de paz e prosperidade, precisamos ressignificar o casamento e a sexualidade. Muitos mestres espirituais evitam tocar nesses assuntos, mas eu sinto que não temos como seguir com a intenção de ter um jardim florido, belo e perfumoso se condenamos a semente das nossas flores.

Não é de estranhar que haja tanta crueldade, tanta feiura, tanta falta de gentileza nesse mundo. Isso é porque nossa semente foi envenenada. O casamento se tornou um negócio e um alimento para a carência afetiva, que serve para sustentar infindáveis fantasias que nos distanciam cada vez mais do amor puro. Na grande maioria dos casos, o casamento tem alimentado justamente o contrário, o ódio.

Precisaremos de muita coragem para realizar essa transformação, pois não é simples renunciar a crenças milenares tão profundamente arraigadas. Não é tão simples renunciar a competição, a carência, a luxúria e a todos os seus jogos. Mas, não temos outro caminho. Precisamos evoluir no caminho da ascensão. Foram transmitidas chaves importantes para você aprender a transitar dentro do vale da luxúria, aproveitando o relacionamento como material de escola, e compreendendo que a relação é realmente um instrumento poderoso, tanto de aprendizado, quanto de aferição, o que possibilita que nos situemos na jornada, para que possamos tomar consciência de como estamos em relação à liberdade, ou seja, se nos sentimos livres e se estamos podendo deixar o outro livre.

A liberdade é a qualidade máxima dentro do Novo Casamento. É preciso estar livre, inclusive, das regras criadas dentro do velho modelo. Não podemos nos prender a formatos e receitas prontas, a nada que "tem" que ser. É importante estarmos livres para seguir o caminho do coração. Estar abertos e prontos para o que a vida nos traz. Isso significa estarmos abertos para verdadeiramente conhecer o outro.

Nossa tendência ao encontrar alguém é imediatamente inserir a pessoa dentro do nosso sonho, das nossas expectativas. Isso só gera frustração e encerra a possibilidade de sabermos o que o outro tem a oferecer. Tenho aconselhado as pessoas a não quererem eternizar as relações, a não criarem fantasias em torno do outro. Ao conhecer alguém, abra-se para o novo. Não queira automaticamente morar junto, casar, ter filhos. Inclusive, sugiro que os casais avaliem a real necessidade de morar juntos. Viver em casas separadas pode ser uma ótima ferramenta para ajudar na transição do velho para o novo.

Tenho dito que a prova final dentro da universidade dos relacionamentos é poder deixar o outro livre, inclusive para não nos amar. Essa é a iniciação final. E somente poderemos chegar nisso despertando o amor dentro de nós. Somente o amor permite tamanha liberdade. Somente o Ser ama de maneira tão desinteressada. Quando pudermos deixar o outro livre, inclusive para não nos amar, significa que resgatamos a autoconfiança e nos libertamos do principal dreno de energia, a raiz de todas as doenças psicoemocionais do ser humano: a carência afetiva.

A liberdade é um fruto do amor. E o amor somente se manifesta quando purificamos o nosso sistema dos pontos de ódio e medo. Então, conforme nos purificamos, vamos abrindo mão desse mecanismo de defesa que é a luxúria. A partir disso, a energia erótica se liberta e começa a ascender. Então, experimentamos um profundo amor pela vida e pela existência. Experimentamos a gratidão. E a gratidão abre os portais celestiais.

PALAVRA FINAL

Purificar a energia erótica é o primeiro passo rumo ao infinito. Quando o sexo se funde com o amor, ele se emancipa e se liberta do cativeiro do corpo.

O sexo alinhado com eros e com o amor possibilita a expansão da alma humana em direção ao Divino. Esse sexo é praticado para a celebração do mistério da vida e, em alguns momentos, para a procriação. Mas, essencialmente, é uma forma de oração.

Aos poucos, as formas de oração também evoluem. Se você não se opõe ao sexo e o respeita, pouco a pouco, ele atinge a sua meta, que é alcançar a liberdade da solitude, o celibato. Essa liberdade é o florescimento da semente do sexo, mas ainda é raro ver essa flor no mundo. Embora todos carreguem esse potencial, são poucos os que florescerão, justamente porque a maioria condena a semente.

Ao condenar o sexo, você fica preso a ele. Ao compreender sua sacralidade e o seu papel no jogo evolutivo, você se liberta dele, ou seja, você deixa de precisar dele. Não por oposição, mas porque você transcendeu a identificação com o corpo. Isso é liberdade.

Abençoado seja cada um de vocês. Que o amor possa despertar em todos os seres.

NAMASTÊ

APÊNDICE*

Em uma de suas palestras, você citou o exemplo de uma pessoa que sentia ódio quando se apaixonava por alguém. Eu acredito que isso é muito comum, mas a maioria de nós não consegue ver esse ódio. Podemos dizer que é possível medir o tamanho do ódio pelo quanto ainda queremos possuir e dominar o outro?

Sim. Essa é uma forma de se localizar na jornada; uma forma de saber se você está se enganando ou não. Muitas vezes, por trás da máscara do amoroso, há um dominador que quer fazer do outro um escravo. A possessividade é um egoísmo disfarçado de amor. Você acredita que não quer alguém para amar, você quer um escravo para satisfazer os seus caprichos. Você ama, mas se o outro sai um milímetro da linha, a bela se transforma em fera, e todo o amor desaparece. E o ódio emerge do lago negro.

E quando o ódio vem à tona depois de muito tempo de repressão (como no exemplo que dei), ele pode ser muito intenso e difícil de lidar. Essa pessoa do exemplo veio até mim pedindo pela iluminação. Eu disse: sim, mas antes você precisa purificar o seu sistema. Eu pude ver a repressão que ele carregava e que o melhor remédio para ele seria uma namorada. Então, eu disse para ele encontrar uma; e foi o que ele fez. A questão é que, durante sua infância, ele havia sido massacrado pela mãe e pela irmã, o que gerou muito ódio, e ele não cuidou disso. O namoro fez com que todo esse ódio das mulheres viesse à tona. Então, ele passou a dizer que eu fui uma catástrofe na vida dele. Até hoje ele sente raiva de mim, e pode ser que ainda demore muitos anos para ele conseguir filtrar isso. Ele até pode se iluminar, porque tem potencial para isso, mas inevitavelmente terá que purificar esses sentimentos negativos. Iluminação é unidade — você não pode se iluminar carregando partes separadas, isoladas, trancadas em negação. Quanto mais maduro você se torna, mais unido ao outro você fica. Você se une a tudo e a todos.

No caso de quem está trabalhando para elevar a energia, a ejaculação deve ser vista como energia que vai para baixo? É aconselhável usar técnicas para evitar a ejaculação?

Eu sinto que é preciso tomar cuidado com qualquer tipo de controle. O que você deve fazer é trabalhar para dissolver as camadas que impedem a sua

---

* Seleção de perguntas feitas por buscadores durante os encontros com Prem Baba no Brasil e na Índia.

energia de subir. Aos poucos, você vai retirando as expectativas da relação sexual, ou seja, você vai deixando o desejo de ter que chegar a algum lugar. E a subida acontece naturalmente. Você deve trabalhar para reconquistar o estado de naturalidade e desprendimento. Em determinado momento, você pode fazer uso de algumas técnicas para evitar a ejaculação, mas tome cuidado para não criar ansiedade em relação a isso. O mais importante de tudo é a espontaneidade. Não existe uma receita única para todos, porque cada um está em um estágio.

Não costumo dizer "faça assim", porque existe uma tendência de você querer fazer exatamente o que estou dizendo, e com isso, você acaba ficando rígido dentro de um modelo, um formato. Mas não existe um modelo para todos. Algumas pessoas guardam tanta repressão no sistema que não podem nem pensar em conter a ejaculação. E algumas pessoas são tão indulgentes que precisam encontrar uma maneira de equilibrar isso.

Como citei na última parte deste livro: para buscadores mais avançados, que estão vivendo uma relação amorosa em que existe intimidade, transparência e reciprocidade, a minha sugestão é que eles vivam uma experiência tântrica. Nesse caso, um encontro uma vez por semana já é suficiente e, de preferência, sugiro que se preserve com o fogo moderado, justamente para evitar a perda de energia e para facilitar o controle da ejaculação.

Através desse processo, naturalmente, você vai caminhando para encontrar sua contraparte masculina ou feminina dentro de si mesmo e, aos poucos, você deixa de depender da relação sexual para realizar essa fusão, pois ela já ocorreu internamente.

O meu último relacionamento foi abusivo e cheio de manipulação. Tudo em nome do Tantra, da espiritualidade e de Deus. Do meu lado, havia uma permissividade; era como se estivesse "possuída". Agora, estou lidando com os restos dessa violência. Às vezes, eu sinto vontade de me destruir ou até de me suicidar.

Parece que uma profunda dor foi acessada, e o seu sistema de defesa foi destruído. Se você tinha o orgulho como guardião dessa dor, ele levou uma flechada no peito. Mas ele não morreu, ele está agonizando. É ele que está tendo essa vontade de se matar; ele não está suportando a humilhação.

Compreenda que este episódio não abriu somente as portas para o seu sofrimento, mas também para o sofrimento coletivo, porque os traumas da sua personalidade se ligam aos traumas de abuso e violência que estão no inconsciente coletivo. Afinal, quanto abuso sexual já aconteceu neste mundo em nome de "Deus"? Nós estamos falando de abuso do poder; e se esse abuso acontece através de um conhecimento tântrico, da bíblia ou de qualquer outro livro sagrado, não faz diferença.

Mas compreenda que essa é uma via de mão dupla. Onde existe um agressor, existe um submisso. E o mais difícil é identificar em si mesmo essa parte que se permite ser agredida. Mas quando consegue identificar essa distorção dentro de você, ou seja, quando consegue identificar o submisso (ou o agressor) dentro de si mesmo, você se liberta. O que te liberta é o perdão que nasce da compreensão da sua responsabilidade na situação negativa.

Porém nesse processo, você corre um risco: ao sair da ignorância a respeito desses aspectos, você pode ir para o outro extremo, que é acreditar que você é isso mesmo e que não há saída. Assim, você começa a se culpar e se condenar. Por isso é preciso ter muita calma e paciência. Isso é somente uma passagem. Você precisa de ajuda para integrar esse trauma, e nós vamos oferecer esse suporte.

Tenho ficado cada vez mais surpreso e tocado com a grande quantidade de episódios de abuso sexual que vêm à memória das pessoas quando elas começam o estudo de si mesmas. Lembro-me agora de um dos retiros que ofereci, em que havia pessoas de, pelo menos, 12 países diferentes, e muitas delas haviam sofrido abuso sexual. Muitas delas, até então, haviam se mantido caladas, porque não tinham coragem de partilhar com ninguém. É muito comum que o abusado tente esquecer e fingir que nada aconteceu. Então, quando isso é reeditado (quando a situação do passado é recriada na vida adulta), a pessoa é obrigada a encarar a realidade.

Há que se ter um tanto de coragem para reviver uma dor tão profunda. Talvez, você tenha que aceitar que foi abusado, humilhado, rejeitado... Que realmente não foi amado. Mas isso dói muito. Isso é triste mesmo. Mas, talvez, você precise chorar até poder compreender e perdoar.

Porém existem coisas que são muito difíceis de perdoar. Sempre lembro da história de um rapaz, cujo pai tentou matá-lo afogado em um tanque. Ele disse: "como posso perdoar uma coisa como essa? Como posso perdoar tamanho ódio? Isso não é humano". Mas esse perdão realmente não é desse mundo, não é humano — é o seu eu divino que perdoa. Ao se desidentificar da criança ferida e se identificar com o eu divino que te habita, você chega à compreensão das razões mais profundas por trás dos episódios. Porque tudo tem um porquê nessa vida; nada acontece por acaso.

Além disso, é preciso compreender que se matar não vai resolver o seu problema. Isso só vai piorar bastante a situação. Você acredita que a dor termina com a morte, mas não é verdade. Você acredita nisso, porque está identificado com o corpo, mas isso é uma ilusão. Você não é o corpo, portanto, você segue carregando todos os seus dramas no pós-morte. Tenho visto muitas entidades desencarnadas agonizando nos "infernos" astrais. Muitas querem voltar para o corpo e resolver os problemas que deixaram para trás, mas isso não é possível.

Se você está aqui para resolver uma questão com uma pessoa e resolve deixar o corpo para fugir, o sofrimento só aumenta para você e para aquele que fica neste plano sendo obsediado. Portanto, o lugar para resolver isso é aqui, nessa Terra, nesse corpo.

Eu sei que você está fragilizado, mas é preciso ter coragem para atravessar esse vale escuro. Essa passagem é muito difícil, mas vou lhe dar suporte.

E para completar: a espiritualidade, Deus e o Tantra não têm nada a ver com isso. O ser humano usa esses conceitos de forma distorcida para poder exercer a sua maldade e seu poder sobre o outro. Mas lembre-se de que se existe um sádico, existe um masoquista, por isso me refiro ao "círculo vicioso do sadomasoquismo". Essa é uma via de mão dupla. Então, não importa o tamanho do erro do outro, o que importa é você olhar para a sua responsabilidade. Qual é o seu aprendizado? Por que você precisou viver tudo isso? Porque você criou essa situação destrutiva para si mesmo?

Ontem à noite, eu tive uma conversa com o meu namorado, e, pela primeira vez, a verdade foi revelada. Essa experiência foi muito forte pra mim. O véu foi retirado e tudo que eu imaginava que existia por trás dele veio para a luz. Ele disse que fica comigo por culpa e por um senso de obrigação. Ele só quer estar comigo para me usar como uma escrava, para obter comida, sexo e atender às suas necessidades. Ele me falou que, na verdade, o seu coração está fechado para mim e que sempre esteve. Ele vê sua carência e apego ao relacionamento e sabe que só está comigo por conveniência. Mas essa manhã ele acordou sentindo o seu coração começando a descongelar. Como seguimos daqui?

Correr não adianta. Para onde ir se tudo isso está dentro de você? Se trocar de relacionamento, existe uma tendência de você deparar com a mesma situação. Esse é um mecanismo de defesa usado pela grande maioria dos casais: sempre que chega num ponto como esse, troca-se de parceiro. Mas, normalmente, isso não resolve.

Embora muitas vezes a separação seja necessária — porque não há mais espaço para o crescimento; porque a relação se tornou extremamente destrutiva e não há mais por onde evoluir, isso ocorre porque os parceiros não conseguiram progredir na autorresponsabilidade. O que leva o relacionamento afetivo à degradação completa é justamente o jogo de acusações. Então, é possível que um dos dois tenha atingido maturidade suficiente para pedir a separação, porque não há mais espaço para um diálogo construtivo e para a reciprocidade.

Para que haja evolução na esfera dos relacionamentos, deve haver, pelo menos, um pequeno espaço para reciprocidade: um espaço para dizer "sim" quando o outro diz "sim". Ao desistir dos jogos de acusação, você não precisa mais dizer "não" para se vingar do "não" do outro. E se um dos dois parceiros cresce em presença e assume responsabilidade, ele começa a se revelar, e é preciso acolher essa revelação (essa verdade do outro), por mais desafiador que isso possa ser. Porque essa verdade que vem através do outro é, no mínimo, um apelo da verdade, e a verdade liberta.

Essa é uma passagem um tanto incômoda. Mas você quer continuar se enganando? Isso é uma escolha. Você tem o direito de continuar mais tempo na ilusão, acreditando que é uma vítima indefesa, e que o outro é culpado pelo seu sofrimento, mas lembre-se de que a autorresponsabilidade abre caminhos para a graça. Autorresponsabilidade e honestidade criam um forte elo de comprometimento com a Verdade.

Em linhas gerais, é isso que posso dizer sobre o seu processo, porque a partir daqui, para poder aprofundar, precisaríamos entrar nas especificidades do seu caso. Pode ser que ele tenha sido verdadeiro, ou seja, tenha mostrado para você as estratégias do eu inferior, que ainda não são a verdade do eu maior, porém são mais verdade que a máscara. A máscara pode ter caído, mas pode ser também mais uma forma de jogo. Não sei. São muitas as possibilidades, são muitos os materiais de escola, são muitos os instrumentos. Mas o principal é ter disposição para encarar a verdade; a disposição para identificar as partes dentro de você que estão comprometidas com o egoísmo e com a guerra. Se estiver disposto para encarar e identificar essas partes, você já tem o material mais necessário para evoluir no processo de purificação.

Agora eu sugiro que vocês se recolham e se permitam ter um momento no qual sentem juntos, olhem nos olhos um do outro, procurando sincronizar a respiração. Se abram para identificar o que querem um do outro. E quem em você quer? Isso é um estudo.

Alguns estão estudando o relacionamento afetivo-sexual, mas isso também serve para qualquer relação na qual você tenha vínculo afetivo;

qualquer relação na qual você se vê trancado, reproduzindo situações que trazem sofrimento. Mas é claro que quanto maior o vínculo afetivo, ou quanto mais energia sexual está envolvida nessa relação, mais complexo é o estudo. Mas independentemente do nível de envolvimento, estamos falando do relacionamento entre seres humanos.

Se existe vínculo afetivo e energia sexual envolvida, existe projeção. E quando falo da energia sexual, não estou falando necessariamente de sexo, estou falando de um investimento de vitalidade. A sua energia vital é investida nessa relação. Isso pode ocorrer nas relações familiares, amizades mais fortes, ou até em algumas relações profissionais. Ninguém está livre da escola dos relacionamentos, porque todos se relacionam. Se você tenta matar aula ou fugir da escola, é porque, provavelmente, está cansado de tirar nota vermelha.

Alguns chegam ao ponto de precisar trancar a matrícula e tirar férias, mas não se engane: enquanto carregar imagens e projeções, você está preso, não importa onde esteja. Mas quando puder dar a volta ao mundo e não se apegar a nada, você estará livre.

O senhor falou sobre como o casamento pode causar a retirada de eros. Gostaria de saber como fazer para manter eros vivo no casamento.

Eros se recolhe quando ocorre o casamento nos moldes antigos, porque nele existe uma tendência à acomodação, e com ela, uma aparente perda do mistério. O que faz eros se recolher é você achar que não há mais nada para descobrir no outro. Ao acreditar que já sabe tudo sobre o outro, você perde o interesse e a motivação de se descobrir através dele. Isso ocorre normalmente porque a relação esbarra em algum ponto, alguma questão interna, que faz você se sentir desprotegido. Esse ponto é alguma coisa que você prefere não revelar porque sente vergonha, assim você se fecha. E se o que alimenta eros é a revelação, eros começa a desaparecer.

Quanto mais você se revela e acolhe a revelação do outro, mais eros tende a crescer. Eros é uma ponte para o amor, mas ele só realiza seu objetivo de conduzi-lo para o amor, quando a purificação estiver completa. Enquanto isso, ele trabalha para trazer à tona aspectos que precisam ser purificados. Porém, se você não está disposto a trabalhar a sombra, inevitavelmente eros vai se recolher.

Mas o que é purificar e trabalhar a sombra nesse caso? É se revelar; é se mostrar, ou seja, é poder ser você mesmo, sem ter que usar máscaras. Na base, o que sustenta qualquer relação é a amizade, e na base da amizade, está a confiança. Quando a confiança é contaminada, você não relaxa e não pode ser você mesmo. E a principal desculpa que você usa para não realizar essa purificação é justamente a mágoa e o ressentimento. Porque, estando tomado por esses sentimentos, você se fecha e perde a admiração pelo outro. A admiração se sustenta a partir do desconhecido e da aventura da relação, que só é possível se há confiança.

Então, para resgatar eros, é preciso, em primeiro lugar, resgatar a confiança e a admiração, e para isso, você precisa admitir suas mágoas e ressentimentos. Eros vive na intimidade, portanto, na falta de intimidade, ele morre. Se você quer ressuscitar eros, é preciso dar um passo em direção à intimidade. É necessário que você tenha coragem de falar das suas mágoas e ressentimentos, mas não com o objetivo de acusar o outro, e sim com o objetivo de se mostrar, de assumir seus medos, suas inseguranças, suas imperfeições, para resgatar a confiança da relação. Porque enquanto o orgulho e a arrogância estiverem no comando, e você continuar botando o dedo na cara do outro para provar que ele é culpado, esse passo não será possível.

Porém lembre-se que somente é possível resgatar eros se ele ainda não foi para outra casa. Enquanto a mala está pronta, mas ele ainda não mudou de endereço, ainda é possível. Se ele já foi para outra casa, não adianta mais.

Comentário dentro da questão: existe um fechamento natural? Um fechamento natural de relacionamentos no sentido da alma seguir sua jornada?

Sim. Isso ocorre quando se termina um ciclo de aprendizado na relação. Nesse ponto, você se desliga e seu coração se abre para a uma experiência de pura amizade. Mas para chegar nesse ponto, se faz necessário liberar as mágoas e ressentimentos. Enquanto não ocorre essa cura, mesmo trocando de relacionamento, você permanece preso ao passado através de laços do ódio. Chega um momento em que a alma clama por continuar sua evolução, e para isso, ela precisará finalizar qualquer relação que tenha ficado aberta (presa em laços de ódio). Então, quando a alma está pronta, essa finalização ocorre espontaneamente.

Qual é a sua opinião sobre a homossexualidade?

Em primeiro lugar, é preciso compreender que o objetivo das relações é criar união — é despertar o amor. Mas quando falo de união, não me refiro somente à união sexual; falo da união entre o feminino e o masculino dentro de cada um. Por isso eu sinto que assim como a heterossexualidade, a homossexualidade é uma passagem — porque o relacionamento é uma passagem. Não importa como você busca, o que importa é que você está buscando a parte complementar que, em última instância, está dentro de você. A busca termina quando você encontra essa parte que parece estar faltando dentro de si mesmo. O masculino está em busca do feminino, e o feminino está em busca do masculino — não importa o tipo de corpo ou de sexualidade. A busca termina quando ocorre o casamento interno entre os dois princípios: *Shiva* e *Shakti*, que representam o Divino masculino e o Divino feminino internos.

Eu sou assombrada pelo ciúme. Ele amarra minha vida, deteriora minhas relações e provoca um dispêndio de energia estúpido. Como sair das amarras do ciúme?

Você está no caminho certo, porque o primeiro passo é justamente reconhecer o ciúme, assim como qualquer outro aspecto do eu inferior. Você só pode transformar o que já conhece. Ao reconhecer que está na escuridão, você acende a luz. E quando você acende uma luz, a escuridão desaparece.

Não há como lutar contra o ciúme, assim como não há como lutar contra a inveja, o medo, a raiva... Porque a escuridão não tem existência própria; ela é somente a ausência da luz. O ciúme é uma expressão da escuridão. Então, o que você pode fazer é aumentar sua percepção a ponto de iluminar a compreensão e ver a insensatez do ciúme; a ponto de perceber quão sem sentido é atuar nele. Mas antes de chegar nesse estágio de ampliar a percepção para poder iluminar essa escuridão, você talvez precise conhecê-lo melhor.

Compreenda que o ciúme não tem absolutamente nada a ver com o outro; ele tem a ver somente com você. Por mais que tudo conspire a favor dessa crença de que o outro é responsável pelo ciúme; isso é uma ilusão, pois o ciúme é pessoal e nasce da sua insegurança. Ele nasce pelo fato de você não confiar em si mesmo.

É muito natural sentir ciúme, principalmente se você está vinculado a alguém que joga energia para outras direções, ou seja, se o outro é canal da luxúria e está jogando com você; querendo justamente roubar a sua força, fazendo com que você se sinta inferiorizado e impotente. Mas isso acontece porque você, de alguma forma, está chamando por isso.

Vamos supor que o outro esteja jogando energia para outra direção (independentemente de estar fazendo um jogo consciente ou não). É natural que você sinta um esvaziamento de energia, porque, até então, ela estava com você. Esse esvaziamento traz um desconforto, uma tristeza e, muitas vezes, a dura constatação de que o outro não te ama. Mas se você puder se distanciar e observar esses sentimentos passando por você, compreendendo que eles nascem do eu carente e inseguro que mora em você, você também compreenderá que essa é uma boa chance de deixar o outro livre. Porque se ele realmente tiver um sentimento profundo por você, ele volta — a energia volta.

Esse passo, essa transcendência, somente é possível se o orgulho não tomar conta de você.

Existe mesmo um incômodo, um desconforto devido a esse esvaziamento de energia, mas estando suficientemente maduro, você lida com isso tranquilamente. O ciúme se alimenta desses sentimentos negativos e age como uma entidade que quer continuar viva. Existem situações em que o ciúme fantasia uma série de coisas para continuar repetindo o drama. Muitas vezes, nada está acontecendo, mas ele precisa acreditar que está sendo abandonado, trocado e traído, porque esses sentimentos trazem um senso de identidade.

Quanto maior o ciúme, maior é o sentimento de impotência que você carrega. E quanto maior o sentimento de impotência, maior a necessidade de conhecer os aspectos da sua personalidade que estão trancados em negação. Então, permita-se conhecer esses aspectos — abra-se para o autoconhecimento.

Se você já conhece o ciúme e suas raízes e não consegue dominar o vício de sentir ciúme (porque ele te vicia em acreditar que você está sendo abandonado, trocado e enganado), o seu trabalho é trabalhar para ampliar a percepção. Mantenha a presença e, na medida em que a consciência vai expandindo, você começa a ver a estupidez do ciúme. Aos poucos você cansa, assim como uma criança que já brincou o suficiente com o brinquedo.

Eu vejo meu egoísmo em todas as relações: com namorados, filhos, pais, irmãos, amigos etc. Funciona assim: venham todos ao meu reino na hora e do jeito que eu quero. Esse egoísmo age, inclusive, comigo mesmo através da falta de compromisso com aquilo que me faz bem, como o *sadhana* e o autoconhecimento. Meu egoísmo recebe apoio da preguiça. Como posso fazer para me libertar dessa prisão?

Você já começou a se libertar quando identificou esses eus atuando dentro de você. Eles são os mensageiros que estão a serviço de manter o passado vivo dentro de você; de manter a sua identificação com ele. Identificá-los é o primeiro passo.

Então, se pergunte: quem estou projetando em todas essas pessoas? Nos namorados, filhos, pais, irmãos, amigos... Quem eu quero que seja meu escravo? Quem você quer que fique debaixo dos seus pés te servindo? De quem você está se vingando?

Amar implica em enxergar o outro; em se colocar no lugar dele e sentir sua necessidade. O egoísmo não vê o outro; ele só se preocupa consigo mesmo. E o egoísmo está associado ao ódio. Se puder olhar profundamente para esse egoísmo (e para essa preguiça), você encontrará um grande ódio (em relação ao outro e em relação a si mesmo). É esse ódio em relação a si mesmo que te impede de realizar aquilo que te faz bem e age através da autopunição e do sentimento de não merecimento.

Você se pune ao sentir culpa de odiar o outro. E você odeia o outro, porque projeta seus pais nele. Procure sempre lembrar que as relações destrutivas de hoje são reedições da sua ferida infantil; é você recriando o passado no momento presente para tentar mudar alguém; para tentar fazer com que as coisas sejam diferentes dessa vez, pois você ainda tem esperança de ser amado por aquela pessoa que não te amou.

Então, se o que determina esse encontro é a necessidade de repetir um padrão de dor do passado, a partir da esperança de transformá-lo, é claro que a relação estará fadada ao sofrimento. Isso porque você vai usar toda a sua energia na tentativa de transformar o outro para que você possa finalmente receber dele o que acha que deveria ter recebido. Você não tem consciência do comando do seu eu inferior e da intencionalidade negativa que te faz estar numa relação para se vingar dos seus pais e dos seus educadores.

Em alguns casos, pode ocorrer de você aproveitar essa chance para subir e crescer. Ao identificar a repetição, você usa a oportunidade para transformar o que precisa ser transformado, sem cair no vale do sofrimento. Ao fazer isso, você está dando uma rasteira no *karma*.

Mas na maioria das vezes, você está na relação movido pela "síndrome de Walt Disney", acreditando que encontrou a princesa ou o príncipe encantado. Movido por isso, sem saber, você acredita que sua felicidade depende do outro, então, é pego pelo sonho mágico de que vocês viverão felizes para sempre. Você se torna uma pessoa medrosa, que precisa do outro para ser feliz. E isso é realmente uma prisão.

Então, como fazer para se libertar disso?

Identificando quem em você está se movendo dentro dessa relação. Quem em você quer fazer do outro um escravo? Quem em você quer fazer o outro se sentir inferior e inseguro para obter poder sobre ele? Quem em você usa a energia sexual para poder exercer domínio sobre o outro? Esse não é você.

Quando pode identificar esse egoísmo, esse ódio e esse medo, você está perto de uma mudança. A partir daí, você está perto de tomar consciência do seu desejo pelo negativo. O que, em outras palavras, é o mesmo que identificar o seu "não" para aquilo que conscientemente você quer. Esses são os pactos de vingança que nascem do passado não integrado.

Conscientemente, você quer ter uma relação verdadeiramente amorosa e quer realizar o seu *sadhana*, porém você atrai justamente o contrário, pois existe uma parte em você que, inconscientemente, deseja o oposto.

Essa distorção, essa corrente de energia oposta agindo dentro de você, pode atuar sabotando todos os tipos de relacionamento, em todas as áreas da sua vida: afetiva, profissional, financeira, familiar e espiritual. Porém todas as áreas estão conectadas com a espiritual. Esses bloqueios, ou esses "nãos" que te impedem de subir e realizar o que você tanto deseja, podem ser identificados quando de alguma maneira você cansa de sofrer, e sente o impulso de se mover em direção à espiritualidade.

Então, nesse momento em que você já pode identificar essa corrente oposta atuando em você, é importante fazer a relação de causa e efeito, para compreender como o passado está influenciando no presente. E quando você pode identificar os sentimentos negados, os pactos de vingança, e as contas abertas com o passado, e perceber a dimensão do estrago que essa escolha (de se vingar) está causando na sua vida e na vida daqueles que te cercam, você tem a chance de fazer diferente; você tem a chance de cessar essa guerra.

Mas como você está viciado no sofrimento, viciado nos jogos do eu inferior, essa virada pode não ser tão simples, então, você precisa colocar algo novo em movimento para romper com o círculo vicioso. No início, será preciso fazer uma austeridade inteligente, o que requer algum esforço. No seu caso, eu sugiro que, em vez de forçar o outro a atender às suas exigências, procure servi-lo; procure atendê-lo e fazer um carinho nele.

Mas se você não evoluiu o suficiente no trabalho de identificação e integração do eu inferior que acabei de descrever, essa austeridade pode se transformar em raiva, e você vai querer pular no pescoço do outro. Sua raiva vai aumentar, mas pelo menos servirá como material de escola, indicando que você ainda não aprendeu a lição.

Muitos se escondem atrás do autoconhecimento. Alguns decoram o que eu digo e criam boas desculpas para continuar acreditando que estão no caminho certo. Nesse caso, você está no caminho da loucura, não do caminho da sanidade; no caminho do fanatismo, não no caminho da libertação. E você só está no caminho da libertação se o sofrimento estiver sendo transformado em alegria.

Comentário dentro da questão: ontem, após o exercício que você propôs, pude ver que meu pai é o ponto central de todas as minhas insatisfações. Pude ver que as contradições que encontro em algumas áreas da minha vida (sexualidade, relação amorosa, dinheiro) estão conectadas com ele. Eu me senti muito mal e resolvi me aprofundar. Então, eu escrevi uma longa carta para ele.

Essa é uma boa maneira de se aprofundar no estudo de si mesmo. Sugiro que você faça essas cartas quando já pôde identificar aspectos inerentes ao passado que estão produzindo as repetições negativas no momento presente. Quando você já identificou as projeções, essas cartas podem ajudar na liberação e na alquimia de transformação dos sentimentos guardados. Ao escrever sua carta, expressa nela tudo o que você ainda não pôde dizer, tudo que ficou guardado. Esse exercício pode ter um grande poder de cura se permitir realmente sentir.

Mas não faça isso por fazer. Procure se mover dentro desse mapa que eu ofereci. Identifique primeiro a sua insatisfação; depois os "nãos" que se manifestam na forma das repetições negativas; depois procure identificar o seu desejo pelo negativo; e, por fim, o prazer que sente com isso. Aos poucos, você vai observando as ramificações da sua destrutividade e será necessário ter coragem para admitir suas misérias e feridas. Coloque tudo no papel. Mas se não vier nada, não se force. O trabalho de cura espiritual acontece de qualquer maneira. Se a cura bateu na sua porta, e você quer aprofundar, é isso que eu sugiro, mas não force. Tudo tem sua hora.

O exercício de escrever cartas é uma forma de catarse. Sugiro que você faça uma carta autobiográfica, na qual você irá expor absolutamente tudo que nunca pôde dizer (porque não sabia ou porque não tinha coragem). No seu caso, comece com o pai. Lembre-se dele e coloque tudo do jeito que vier, sem filtros, mesmo que seja como um "vômito". Porque, na verdade, é mesmo um vômito emocional. Mas lembre-se de que essas cartas não devem ser entregues aos seus destinatários. Esse é um exercício pessoal de purificação e de ajuste de contas dentro de si mesmo. Na maioria das vezes, você está se comunicando com uma imagem, não com pessoas reais, e se você fosse entregar a carta para as pessoas nas quais você projeta essas imagens, elas não entenderiam nada, e isso só aumentaria a separação entre vocês.

Sugiro que você queime a carta depois de um tempo, quando sentir que já liberou os sentimentos ali expressos. O objetivo principal desse exercício é ajudá-lo a expressar sentimentos guardados e a elaborar seus conteúdos.

O diálogo com a pessoa em questão, se houver maturidade (de ambas as partes), também é um poderoso instrumento. Muitas vezes, conversando com a pessoa, você descobre o que é verdade e o que é mentira; o que é sua imaginação ou não. Mas quando isso não é possível, o melhor instrumento é a carta.

Tendo sofrido abuso sexual na infância, aos três anos, por parte do meu avô, passei a vida atraindo homens comprometidos de alguma forma, fazendo com que eu vivesse relações que eram opção de solidão, ou seja, nunca deram certo. Nos últimos 20 anos, eu passei por muitas terapias vivenciais, incluindo o processo Hoffmann, grupos do Pathwork e Constelação Familiar, mas aos 53 anos ainda continuo presa a esse padrão, me sentindo muito frustrada e só. Como me libertar?

As terapias podem te ajudar ou não; não há garantias. Porque todas as terapias estão tentando abrir um espaço dentro de você. O processo de cura, independentemente do instrumento utilizado, visa chegar no núcleo do trauma, porque é nele que você ficou aprisionada. O núcleo do trauma é onde você perdeu a confiança na vida, onde o medo tomou conta.

E esse medo é mantido por diversos outros sentimentos: raiva, obstinação, vergonha... E esses sentimentos precisam ser extravasados. Essa é a função dos processos de cura. Você expressa os sentimentos até que possa tocar no núcleo do trauma e ressignificá-lo.

Você não pode mudar o passado, mas pode dar a ele um novo significado. Esse novo significado é possível através da compreensão. Quando toca no núcleo do trauma, você abre uma constelação de memórias e ali você tem acesso à história da sua alma. Você compreende porque aquilo aconteceu do jeito que aconteceu — você compreende os desígnios do *karma*.

Todos os processos terapêuticos preparam o caminho para essa experiência, mas nem sempre o trabalho é bem-sucedido, porque muitas vezes o núcleo está muito protegido. Às vezes, o pacto de vingança que protege o núcleo é tão poderoso que nenhum raio de luz consegue entrar.

O medo de reexperimentar a cena é tão grande que trava qualquer possiblidade de acesso, principalmente quando o trauma se relaciona à sexualidade, porque além do choque, da humilhação e do impacto do desamor, tem também a questão social. Há muita vergonha em expor essa situação e um terrível medo da reação das pessoas. Por isso a criança ou o adulto que sofre abuso sexual tem uma grande tendência de esquecer tudo, de criar amnésia a respeito do assunto, embora continue preso ao choque. Ela pode ter uma vaga lembrança e às vezes, consegue identificar as consequências, ou seja, os sintomas que se manifestam na relação com seus parceiros.

A relação, naturalmente, te leva para a intimidade, e a intimidade te leva para a revelação e para a transparência, então, se uma parte da sua história está trancada nos porões do inconsciente e você não tem a chave para abrir, não é possível aprofundar nesse relacionamento.

Tenho visto ao longo do meu trabalho que as pessoas têm muita dificuldade de lembrar-se dos traumas de abuso, e quando conseguem lembrar, têm dificuldade de entrar no núcleo para poder elaborar o evento, lidar com aqueles sentimentos e conseguir transformar. Em alguns casos, somente a graça divina pode ajudar. É quando as esferas de cura e de ativação da consciência maior se interpenetram.

Você faz o que pode; você prepara o caminho, mas chega um momento em que não pode fazer mais nada. Não há o que fazer, a não ser ampliar a percepção e abrir espaço para a compreensão te visitar. Muitas vezes, você precisa de um empurrão para pular nesse abismo de sentimentos negados e acessar o núcleo.

Você precisa de ajuda e acompanhamento para integrar essas memórias traumáticas; você precisa de alguém ali perto para acompanhar essa passagem pelo "inferno". Essa passagem é inevitável. Você entra no inferno, mas sai dele outra pessoa. Nesse caso, inferno significa olhar de frente para o seu avô, voltar lá na cena do abuso e sentir o que tiver que sentir. Muitos sentimentos foram bloqueados para que você pudesse suportar essa experiência. Dependendo do impacto do trauma, a pessoa não consegue manter a sanidade.

No seu caso, você não perdeu o centro; você está no processo de cura e conseguiu chegar até aqui. Se o ego estiver suficientemente maduro para receber esse empurrão, você está perto de uma transformação. Mas é preciso ter disposição para renunciar ao passado.

Chega um momento em que o trabalho de cura não pode mais te ajudar se não estiver conectado com o trabalho espiritual, pois o trabalho puramente psicológico tem um limite. Através dele, você dissolve algumas camadas, mas chega um momento em que você percebe que o ego, por mais consciência que tenha, não consegue completar o processo. Então, será preciso se render ao Supremo e receber o *darshan* (visão) do Divino para completar essa cura.

Você precisa pedir por essa cura. Você pede para ver o que ainda precisa ser visto e para que o seu perdão seja iluminado.

Parece estranho: se Deus já sabe tudo o que eu preciso, porque eu preciso pedir? Porque tem uma regra que é respeitada por deuses e demônios que é o livre-arbítrio, e os espíritos da ordem divina jamais podem te forçar a nada. Podem dar suporte para as suas escolhas, mas elas têm que vir de você.

Se você dá um passo em direção a Deus, Deus dá 100 passos em direção a você, mas você precisa dar esse um passo; você tem que estar realmente querendo abrir mão do sofrimento. E quando você chama por Deus sinceramente, Deus te visita.

Então, se você faz uso de instrumentos terapêuticos, sem meditar e orar, você não completa o processo de cura. Por isso, eu proponho a terapia e a meditação juntas. Eu proponho juntar Oriente e Ocidente — asas e raízes. O Oriente não vive sem o Ocidente. O Ocidente não vive sem o Oriente. São dois hemisférios do mesmo cérebro; eles precisam trabalhar juntos em harmonia — razão e intuição.

Você diz que o sexo é sagrado; que é a semente do amor, e que não devemos nos opor a essa semente; que sexo e espiritualidade não são antagônicos. Então, porque o sexo não é permitido nos *ashrams*, inclusive nos seus? E porque você recomenda que as pessoas evitem o sexo durante as temporadas de *satsangs* aqui na Índia?

Eu recomendo isso porque estou educando as pessoas, ensinando-as a purificar a luxúria dos seus sistemas. Compreenda que tudo o que tenho dito sobre relacionamentos, sexo e espiritualidade é justamente para transformar a luxúria em devoção. Para isso, eu sinto que é preciso alternar entre as práticas do Tantra e do Yoga. Então, eu proponho esses períodos curtos de celibato até para possibilitar que você tenha uma visão mais clara de onde se encontra em relação à sua sexualidade.

Como, infelizmente, a purificação ainda não está completa para a maioria das pessoas, e também para evitar que haja perda de tempo e energia com a sedução, eu proponho que, dentro dos *ashrams* e durante esses períodos, você possa se entregar mais para o seu processo individual, através da meditação e do autoconhecimento. Você tem o resto do ano todo para se relacionar. Se você veio até aqui, é porque está em busca de algo, e as minhas instruções são para que você tire o melhor proveito desse campo de oração em que estamos.

Apesar de haver uma compreensão intelectual de que o sexo é sagrado, a mente humana ainda está muito contaminada pelos jogos de dominação, pelo medo e pelos pactos de vingança. O sexo ainda é usado como instrumento de manipulação. Então, para não contaminar o campo de prece, prefiro que seja dessa maneira.

Eventualmente, quando percebo a necessidade e a maturidade de determinados grupos de almas, proponho que eles participem de grupos e dinâmicas específicas para auxiliar no trabalho com a sexualidade.

Porém, sonho com uma humanidade evoluída ao ponto de as pessoas poderem fazer amor nos templos e lugares sagrados. Afinal, o sexo com amor é uma prece ao Divino. Mas para que isso possa acontecer; para que as pessoas deixem de simplesmente "fazer sexo" para *fazer amor* de verdade, muita purificação será necessária. Se pudermos nos relacionar sem ferir o outro, e amar desinteressadamente, eu sinto que essa utopia, talvez, possa se tornar realidade.

Por favor, me diga três remédios para completamente desapegar do homem que eu amo. Estou com muitas saudades do amor.

Você não precisa de três remédios; um é suficiente: você precisa amar a pessoa que você acredita amar. Uma coisa são as crenças sobre o amor, e outra coisa é a experiência do amor. O verdadeiro amor é o solvente para os apegos; é o solvente para as dependências e a cura para o ciúme e a possessividade. Esse amor possibilita a liberdade.

Nesse caso, você está confundindo amor com outra coisa. O sexo é somente o primeiro passo, e eros é o segundo passo, e não o último. O sexo é a semente, eros é o arbusto e o amor é as flores e os frutos. E a compaixão é o perfume das flores. Você está confundindo sexo e eros com amor. Embora sejam desdobramentos da mesma coisa, eles são três princípios ou forças distintas.

Tenho dito que o último estágio dentro da escola de relacionamentos, ou a última prova dentro desse curso, é você deixar o outro livre, inclusive, para não te amar, se ele não quiser. Você só chega nisso através do amor. Só o amor permite esta liberdade, só o Ser em você é livre desta maneira, só o Ser em você ama desta maneira, porque a característica básica do ego é a possessividade; o que caracteriza o ego é exatamente a ideia de eu e de meu. Esse amor é um florescimento, esse desapego é um florescimento, essa liberdade é um florescimento.

Estar junto com alguém só por amor, porque não tem outro lugar, a não ser que seja ali, é um fenômeno que se dá por afinidade vibracional. Por exemplo, há infinitos lugares onde você poderia estar agora neste momento. Por que você está aqui comigo? Por conta de uma afinidade, porque existe amor entre nós. Esse amor nos põe juntos, mas você é livre e eu sou livre.

É um tempo propício para a experiência do amor, embora muitas vezes, ao olhar para o cenário externo, você não consiga ver desta maneira. Você pode até se tornar cético: "será mesmo que um dia o amor vai florescer neste mundo?". Eu sugiro que você não se preocupe com isso, que coloque na conta do Divino e deixe que Ele cuide disso. Apenas trate de fazer a sua parte da melhor maneira possível.

O que eu sugiro para você é identificar o que te impede de amar esse homem. Já que o amor é a essência, a seiva da vida, se o amor já existe, já está aqui e é a própria fonte da vida, a questão é: o que está impedindo essa fonte de espargir seu perfume? Apego está relacionado à insegurança e à falta de confiança em si mesmo. Talvez, uma das pedras que estejam represando o rio do amor seja a crença de que você não é capaz de caminhar com as suas próprias pernas. Vá atrás de conhecer essas suas crenças; vá atrás de conhecer essa insegurança, que é a raiz da possessividade, a raiz do apego e do ciúme. E pouco a pouco, vai transformando isso; vai transitando dessa ideia de um eu separado, inseguro, incapaz, que precisa ter, ter e ter para se sentir forte, para poder ser.

Awaken
LOVE